Chères lectrices,

Avez-vous remarqué ces petits changements dans l'air : la température plus douce, les passants aux mines avenantes, les vêtements pimpants qui fleurissent derrière les vitrines ? Pas de doute, le mois de mai est là et, avec lui, la promesse du retour des beaux jours ! D'ailleurs, pourquoi ne pas en profiter et nous préparer pour l'été ? Comme en début d'année, la liste des bonnes résolutions est longue. En voici quelques-unes :

– faire les magasins, repérer les petits riens adorables — et inabordables — sur lesquels nous nous ruerons le premier jour des soldes ;

– se remettre en forme — parce que, après trois mois d'« hibernation », notre apparence physique n'est pas forcément celle d'une sirène se dorant sur la plage de Malibu ;

– se détendre et se changer les idées. Là, vous avez une solution toute trouvée : la lecture du roman que vous avez dans les mains, ainsi que les sept autres titres Azur de ce mois-ci.

Un programme qui représente déjà à lui seul une véritable cure d'optimisme. Attaquez-le dès aujourd'hui et vous serez, j'en suis sûre, en forme pour l'été… et vos vacances bien méritées !

A très bientôt,

La responsable de collection

Le 1er mai,
Ne manquez pas votre
rendez-vous avec

Ce mois-ci, partez une nouvelle fois pour la magnifique région du Queensland et faites la connaissance d'Antonio King — un homme qui a fait fortune dans le tourisme et s'est donné pour principe de ne jamais mêler sa vie professionnelle et sentimentale. Hélas, ses belles résolutions menacent de voler en éclats lorsqu'il rencontre la ravissante Hannah O'Neill, qui vient d'être recrutée comme chef-cuisinier sur le bateau de croisière qu'il dirige.

Pour Antonio, c'est un véritable supplice de Tantale qui commence : sera-t-il capable de côtoyer Hannah sans en tomber amoureux ?

Un play-boy à conquérir, d'Emma Darcy
(Azur n°2397)

Leçons de séduction

BARBARA HANNAY

Leçons de séduction

HARLEQUIN

COLLECTION AZUR

*Cet ouvrage a été publié en langue anglaise
sous le titre :*
A WEDDING AT WINDAROO

HARLEQUIN®

est une marque déposée du Groupe Harlequin
et Azur ® est une marque déposée d'Harlequin S.A.

*Toute représentation ou reproduction, par quelque procédé que ce soit, constituerait
une contrefaçon sanctionnée par les articles 425 et suivants du Code pénal.*
© 2003, Barbara Hannay. © 2004, Traduction française : Harlequin S.A.
83-85, boulevard Vincent-Auriol, 75013 PARIS — Tél. : 01 42 16 63 63
Service Lectrices — Tél. : 01 45 82 47 47
ISBN 2-280-20297-2 — ISSN 0993-4448

Prologue

Trois semaines après son douzième anniversaire, Rachel O'Malley passa un après-midi entier à sangloter, cachée derrière une vieille remise. Et pourtant, contrairement aux autres filles — une engeance dont elle refusait de faire partie —, elle ne supportait pas de pleurnicher.

Quand Gabe Rivers finit par la découvrir, elle avait enfin réussi à se calmer. Ses paupières rouges et gonflées la trahissaient pourtant, elle n'en était que trop consciente.

— Allez, vilaine grenouille, dit-il en s'accroupissant à côté d'elle et en passant un bras consolateur autour de ses épaules, rien ne va jamais aussi mal qu'on le croit.

Elle s'essuya furtivement les yeux à un coin de son T-shirt avant de déclarer :

— C'est le pire jour de toute ma vie.

Il eut l'air si surpris qu'elle s'empressa d'apporter une légère correction à ses propos. Après tout, Gabe avait dix-huit ans et, comme tous les adultes, une fâcheuse propension à débusquer le moindre mensonge.

— Naturellement, le pire a été quand papa et maman sont morts, mais j'étais trop petite pour m'en souvenir.

— Quel est ton problème, exactement ?

7

— Je ne peux même pas en parler. C'est trop horrible ! murmura-t-elle en enfouissant son petit museau contre l'épaule accueillante du jeune homme.

— Mais si ! Rien ne peut me choquer.

Elle releva la tête et sentit son cœur fondre quand le regard vert de Gabe croisa le sien.

— J'ai eu mes règles, chuchota-t-elle.

— Je vois… Ça doit faire un choc, je suppose…

Elle s'attendait presque à ce qu'il s'écarte d'elle avec horreur pour se dépêcher de rentrer chez lui à Edenvale maintenant qu'il avait fini d'aider grand-père à marquer et à tatouer les veaux. Mais, comme d'habitude, il s'assit tranquillement à son côté, le dos appuyé à la paroi de métal rouillé de la remise, un brin d'herbe entre les dents, tout en regardant le jour décliner lentement en cette calme fin d'après-midi.

— Au bout d'un moment, tu vas bien finir par t'y faire, déclara-t-il sentencieusement.

— Jamais, Gabe, je le sais ! Pourquoi faut-il que je sois une fille et pas un garçon, comme toi ?

— Je ne vois pas ce que tu trouves de si extraordinaire à être comme moi !

— Tout, s'écria-t-elle dans un élan de sincérité venu du plus profond de son cœur. D'abord, tu es plus grand et plus fort que grand-père, alors il ne peut rien t'interdire. Tu as le droit d'aller là où tu en as envie. Moi, quand je serai grande, il faudra que j'aie des enfants et que je passe ma vie à laver leurs chaussettes puantes et leurs sous-vêtements dégoûtants.

— Demande seulement à tes profs quand tu seras de retour à ta pension ! Ils te diront que, maintenant, les filles peuvent exercer la profession qu'elles veulent.

— Sauf que, moi, je veux élever du bétail ! Tu as déjà entendu parler d'une éleveuse ?

D'une chiquenaude, il lui enfonça sur les yeux son vieux chapeau en laissant échapper un rire joyeux. Elle se dégagea vivement et fut étonnée de voir que soudain le regard de Gabe était devenu sérieux, presque triste.

— Que t'arrive-t-il ? s'enquit-elle.

— Rien qui te concerne, vilaine grenouille, dit-il en secouant la tête.

— Allez, Gabe ! Moi je t'ai dit mon horrible secret que je n'ai raconté à personne, pas même à Miriam, ma meilleure amie. Dis-moi ce qui te tracasse, je te promets de le garder pour moi.

Quand il lui sourit, elle eut l'impression qu'il était le seul à pouvoir lire au fond de son cœur.

— Eh bien, figure-toi que les garçons ont leurs problèmes, eux aussi.

— Tu veux parler du rasage ?

— Ce n'est pas à ce type de difficultés que je faisais allusion. Même les hommes ne font pas toujours ce qu'ils veulent. Moi, mon père s'attend à ce que je reste à Edenvale…

— Bien sûr ! Et alors ?

— Cela va sans doute t'étonner, mais je n'ai pas envie de devenir éleveur.

— Tu rigoles ! répondit-elle, choquée.

Elle eut l'impression que son ventre déjà douloureux se nouait un peu plus. Comment Gabe pouvait-il désirer être autre chose qu'éleveur ? Où voulait-il partir ? L'idée qu'il puisse s'éloigner d'Edenvale la terrifiait.

— Mais que veux-tu donc faire ?

— Exactement ce que lui fait, dit-il en pointant le doigt vers un aigle gigantesque qui planait au-dessus d'eux.

Un moment, ils admirèrent l'ascension silencieuse du rapace aux ailes déployées tournoyant au-dessus de leurs têtes dans le ciel clair. Lorsqu'il eut atteint les courants ascendants, il se laissa porter, immobile.

— Tu imagines cette sensation incroyable ? s'écria Gabe d'une voix exaltée. Je donnerais n'importe quoi pour être capable de décoller et de planer de cette façon. D'en haut, on doit avoir une telle impression de liberté ! J'en ai assez d'être rivé au sol par un troupeau d'animaux stupides et poussiéreux.

Jamais elle n'aurait deviné que Gabe était habité par un tel rêve.

— Mais où pourrais-tu apprendre à voler ?

— Un sergent recruteur de l'armée est passé à Mullinjim la semaine dernière, murmura-t-il, le visage toujours levé vers l'aigle qui n'était plus maintenant qu'un point minuscule dans le ciel. Il m'a proposé de m'engager pour m'entraîner sur des hélicoptères, des Black Hawks.

D'instinct, Rachel comprit que même si cette illusion devait entraîner Gabe au loin, pour toujours, il fallait absolument qu'il l'accomplisse.

A nouveau, elle sentit une boule d'angoisse au creux de son estomac. Si seulement elle avait été plus vieille… Pourvu qu'il ne remarque pas à quel point elle était troublée par l'annonce de son départ !

— Dans ce cas, où est le problème ? dit-elle d'une voix ferme. Ta famille ne veut pas te laisser partir ?

— L'idée ne leur plaît pas, Rachel, répondit-il, avec un rictus douloureux. Mais je vais partir. Ma décision est prise.

Elle releva la tête pour lui sourire bravement.

1.

Onze ans plus tard…

Ç'aurait dû être une nuit parfaite.

Rachel adorait le bush à la tombée du jour, au moment où l'ardeur du soleil diminuait enfin. L'odeur puissante et fraîche des eucalyptus envahissait l'air tiède et, peu à peu, on pouvait voir les gommiers étirer vers la lune leurs silhouettes dégingandées d'un blanc argenté.

Cette nuit, Gabe était de retour.

Elle aurait été submergée de bonheur si elle ne s'était pas sentie minée par l'angoisse. Une tension qui avait grandi en elle durant toute la soirée jusqu'à devenir maintenant insupportable.

Tandis qu'elle se répétait mentalement sans fin les questions qu'il faudrait poser à Gabe, chaque mot lui semblait plus pitoyable. Pourtant, ces paroles, elle allait les prononcer. Cette fois, impossible de renoncer !

Debout, les yeux fermés, elle respira longuement avant de lancer d'une seule traite en direction de son ami qui s'était assis, le dos appuyé contre un arbre :

— J'ai besoin de ton aide, Gabe. Il faut absolument que je me trouve un mari.

Ces mots, lorsqu'elle les eut prononcés à voix basse, lui semblèrent plus ridicules encore que lorsqu'ils dansaient dans sa tête. Mais, maintenant, elle ne pouvait plus les ravaler. Seulement attendre la réponse.

Attendre…

Elle s'assit auprès de lui, faisant mine d'examiner les enclos à la recherche d'un hypothétique voleur de bétail.

Si au moins elle avait pu voir son visage ! Mais l'ombre d'un gigantesque rocher le dérobait au clair de lune.

— Gabe ? souffla-t-elle.

Peut-être pensait-il que des propos aussi stupides n'appelaient pas de réponse. Après tout, à peine était-il rentré chez lui qu'elle avait déjà dû lui demander de l'aide dans cette affaire de vol de bétail. Elle pouvait difficilement le blâmer s'il semblait rechigner à s'intéresser en plus à ses problèmes personnels.

Elle l'entendit bouger à côté d'elle avant que sa voix lui parvienne dans l'obscurité.

— Ce besoin urgent de mari, il date de quand ?

Elle sursauta, piquée par le ton ironique de sa voix. Si seulement elle avait pu voir son visage, son beau visage aux traits durcis par la souffrance, elle aurait su si oui ou non il se moquait d'elle.

— C'est tout récent.

Pas plus tard que la nuit précédente, son grand-père l'avait mise au courant. Et ce qu'il lui avait révélé l'avait bouleversée.

Sans un mot, Gabe se redressa et s'étira avant de s'écarter de quelques pas. Tandis qu'un rayon de lune éclairait fugitivement sa haute silhouette, elle le vit plier le genou en grimaçant.

Quiconque ignorait son accident l'aurait pris au premier coup d'œil pour un athlète, avec sa carrure puissante et fine, ses hanches étroites, ses larges épaules, ses cheveux bruns coupés court et ses mâchoires bien dessinées.

Cette raideur dans la jambe droite était la seule trace visible de l'accident de voiture qui avait failli lui coûter la vie, le contraignant à quitter l'armée.

Il se baissa pour cueillir une tige de folle avoine et s'approcha pour chatouiller le visage de la jeune femme.

— Qu'est-ce que c'est que cette histoire de mari ? Tu n'es pas encore assez grande pour ça !

— Figure-toi que j'ai vingt-trois ans, idiot !

— Vraiment ? lança-t-il tout en examinant de près son brin d'herbe, comme s'il lui fallait un moment pour assimiler définitivement ce renseignement.

Elle s'étonna de le voir si surpris. Après tout, il avait six ans quand elle était née et l'arithmétique avait toujours été son point fort.

— Pourquoi tant de hâte ? s'enquit-il enfin.

— Je n'ai pas d'autre solution, Gabe.

— Mais quel est le problème ?

— C'est grand-père… La nuit dernière…, dit-elle sans pouvoir maîtriser les sanglots qu'elle avait ravalés toute la journée. Les médecins l'ont averti qu'à la prochaine crise cardiaque…

Eperdue de tristesse, elle se leva d'un bond pour se jeter dans les bras qu'il lui ouvrait tout grands. Ah ! Son vieux Gabe, tellement gentil !

C'était si naturel et si réconfortant de se nicher contre sa large épaule, toujours aussi accueillante, de s'essuyer les yeux à son grand pull de laine doux et confortable ! Toute la journée, elle n'avait fait qu'attendre ce moment-là.

— Est-ce qu'ils ont au moins fait le maximum pour le sauver ? demanda-t-il doucement.

— Il a subi trois opérations en cinq ans et, à chaque nouveau contrôle…

— Je suis quand même surpris qu'ils aient fait preuve d'une franchise aussi brutale.

— Tu sais comment il est. Il a exigé la vérité sans fioritures.

— Je suppose qu'il veut te préparer à l'inévitable. Tu sais à quel point il t'aime.

— Bien sûr. Il veut m'éviter autant que possible les soucis, souffla-t-elle en reniflant, mais sans arriver à maîtriser les hoquets qui lui remontaient dans la gorge. Mais l'autre mauvaise nouvelle, c'est qu'il ne me croit pas capable de prendre moi-même la direction de Windaroo. Il veut vendre !

Il y eut un long silence.

— Je suppose qu'il se fait du souci à l'idée de te laisser un pareil poids sur les épaules, finit par répondre Gabe.

— Mais je n'arrive pas à croire qu'il veuille vendre la propriété ! C'est déjà terrible de savoir que je vais le perdre lui, si en plus je perds Windaroo ! J'y ai travaillé si dur ! Et j'aime tellement cet endroit… Ce serait comme de me couper mes racines.

Les yeux noyés de larmes, elle regarda par-dessus l'épaule de Gabe la lune blanche qui trônait dans le ciel piqueté d'étoiles. Son vieil ami la comprenait, elle en était sûre, mais peut-être lui en demandait-elle un peu trop. Après tout, il venait de passer dix ans à l'armée, sans compter l'année précédente où il n'avait cessé de faire des allers-retours à l'hôpital.

Pourtant, il resserra son étreinte en se penchant vers le visage de Rachel.

— Alors, tu crois que, si tu te trouves un mari, Michael renoncera à vendre ?

En soupirant, elle s'écarta imperceptiblement. Si elle voulait obtenir l'aide de Gabe, il fallait qu'elle s'explique plus clairement.

— C'est la seule solution. Les hommes de la génération de grand-père ne peuvent pas admettre qu'une fille dirige un ranch. Pour lui, si je me marie, la situation sera complètement différente.

— Sans doute es-tu dans le vrai : le mariage peut résoudre le problème. Mais c'est un sacré pas à franchir.

— Je sais. Et c'est pour cette raison que j'ai besoin de ton aide.

— Mais je ne vois pas trop comment, moi, je pourrais t'aider à trouver un mari !

Elle détourna les yeux. Ravalant toute dignité, elle s'apprêta à confesser le pire :

— Figure-toi que les types du coin n'ont même pas l'air de se rendre compte que je suis une femme.

Il eut un petit gloussement.

— Mais je suis sérieuse ! s'exclama Rachel en lui donnant une tape sur le bras. Ton frère Jonno et tous les autres, j'ai l'impression qu'ils ne me traitent pas comme une fille mais comme un type parmi d'autres. Et j'en ai assez.

— Tu veux rire ? D'abord, tu es haute comme trois pommes. Et puis, tout le monde sait bien que tu es une fille !

— Mais qu'en sais-tu, Gabe ? Depuis combien de temps n'as-tu pas assisté à une soirée par ici ? Tu verrais les choses autrement ! Sous prétexte que je sais rassembler un troupeau, prendre un bœuf au lasso et élever un veau jusqu'à ce qu'il devienne un joli taureau, ils oublient que je suis une fille. Ils ne font pas le moindre effort. Pour eux, je fais partie du paysage, voilà tout. On est copains, tout comme avec toi, d'ailleurs.

Le sourire de Gabe s'était évanoui.

— Ecoute, il ne faut pas oublier qu'un type a toujours envie d'impressionner une femme. Ton problème, c'est que tu sais tout faire aussi bien qu'eux, sinon mieux.

— J'espère que tu n'es pas en train de me suggérer de jouer les mijaurées.

— Dieu m'en préserve ! lança-t-il avec une petite grimace avant de s'absorber longuement dans la contemplation des parcs à bestiaux.

Rachel soupira en le voyant jeter un coup d'œil furtif à sa montre. Voilà trois heures qu'ils attendaient là sans que les voleurs se soient le moins du monde manifestés. Gabe devait penser que toute cette histoire n'était qu'un prétexte imaginé pour lui permettre de s'épancher sur ses problèmes concernant le sexe opposé.

— Je ne peux pas te jurer qu'ils vont venir maintenant, lui expliqua-t-elle pour se justifier, mais ils choisissent souvent les nuits de pleine lune. La lueur de la lune leur facilite la tâche.

A la pleine lune précédente, du bétail appartenant à Windaroo avait disparu près d'un forage, au sud de la propriété. Le mois d'avant, le même incident s'était produit, mais, cette fois, à l'est.

Dans les deux cas, les voleurs avaient usé du même mode opératoire : ils s'attaquaient à un groupe d'animaux isolé qu'ils rassemblaient rapidement avant de les embarquer dans un camion et de leur faire quitter la vallée par de petites routes détournées.

Cette nuit, Rachel et Gabe surveillaient un enclos à la limite ouest de la propriété. Quelques jours plus tôt, elle avait remarqué des traces de moto qui pouvaient signifier que quelqu'un était venu faire un repérage des lieux.

— On pourrait au moins attendre plus confortablement, proposa-t-elle en pensant que la jambe de Gabe devait le faire souffrir plus qu'il n'y laissait paraître. Etendons nos sacs de couchage. J'ai apporté de la soupe.

Ils eurent vite fait de trouver un terrain plat, d'en éliminer les cailloux et de s'y installer, assis sur leurs sacs. Rachel sortit une Thermos et remplit deux tasses d'une soupe à la tomate maison chaude et odorante.

— Désolée de t'avoir embêté avec mes histoires, dit-elle après en avoir avalé une gorgée.

— Inutile de t'excuser, j'ai l'habitude.

Assise à côté de Gabe, tout comme autrefois, elle savait qu'il n'avait pas tort. Combien de fois ne lui avait-elle pas fait part de ses soucis ! Elle s'était sentie désespérément seule quand il avait quitté la région. Même si elle n'avait jamais trop compris pourquoi il était si pressé de partir, d'une certaine façon, ce départ l'avait encore confortée dans sa décision de rester coûte que coûte à Windaroo. Comme pour lui prouver, à lui aussi, que ça valait la peine de se battre pour y vivre.

— Tu en fais, une tête ! s'exclama-t-il, l'arrachant à ses pensées.

— J'ai tellement de problèmes à résoudre !

Il posa sa tasse par terre et la regarda bien en face. A la lumière du clair de lune, elle trouva ses yeux verts plus sombres qu'autrefois.

— Tu n'as pas besoin de te tracasser pour trouver un mari, Rachel.

— Ne me dis pas que je n'ai qu'à renoncer et à laisser grand-père vendre le domaine !

— A certaines conditions, ce pourrait être une bonne idée.

— Et quelles conditions, s'il te plaît ?

— Eh bien… imagine que ce soit moi qui achète la propriété. Michael accepterait sûrement de me la vendre.

La surprise la fit sursauter si violemment qu'elle faillit lâcher sa tasse. Immédiatement, elle eut comme une vision : Gabe et elle, pour toujours à Windaroo ! A eux deux, ils n'auraient aucun mal à gérer la propriété où ils vieilliraient ensemble, en toute amitié. Son rêve pouvait donc se réaliser.

— Tu es sûr que tu en as vraiment envie ? souffla-t-elle sans trop y croire encore.

— C'est une possibilité. Je sais que Jonno voudrait bien me racheter mes parts de l'exploitation d'Edenvale. Comme j'ai réalisé pas mal d'économies à l'armée, je cherche justement à investir. Je pourrais acheter Windaroo, engager un peu de personnel et t'en laisser la direction. Ainsi, tu continuerais à vivre ici aussi longtemps que tu en aurais envie.

— Et toi ? Que ferais-tu ?

Une ombre passa sur le visage de Gabe.

— Oh, moi, je n'ai encore rien décidé. Je ne sais pas quoi faire de ma vie. Même si je ne pilote jamais plus, je pourrais faire de la formation et enseigner à de jeunes éleveurs comment utiliser un hélicoptère pour s'occuper du bétail. Ou alors, je peux créer une entreprise qui propose ce genre de service. Ou me fixer en ville. J'ai plus d'une corde à mon arc.

Les mains crispées sur sa tasse, elle se mit à dessiner de la pointe de sa botte des cercles pour dissimuler son désarroi. Naturellement, il n'était pas question que Gabe revienne se fixer ici : s'il avait quitté le bush, c'était justement pour chercher l'aventure ailleurs. Pourquoi aurait-il désiré passer sa vie avec elle dans une vieille ferme alors que le monde s'ouvrait à lui au-delà de Mullinjim Valley ? Un monde plein de distractions, d'aventures et de femmes élégantes et sexy !

Comment avait-elle pu oublier qui il était ? Un pilote réputé, une sorte de héros et, qui plus est, un don Juan de première catégorie.

— Gabe, ton offre est plus que généreuse, répondit-elle en ravalant sa déception, mais l'idée ne me convainc pas. Je n'envisage nullement de me retrouver gérante de la propriété de ma famille, tu peux le comprendre ?

— Il ne te suffit donc pas d'être sûre de rester à Windaroo ?

18

— Non. Mieux vaut que je me trouve un mari. De cette façon, je resterai propriétaire. Enfin… avec mon mari. Mais Windaroo demeurera dans la famille.

— C'était juste une idée, lança-t-il les yeux fixés sur l'horizon.

— Et moi, je voulais seulement te demander des tuyaux sur la meilleure façon de me trouver un mari.

Le regard de Gabe revint lentement se poser sur elle.

— Si c'est ce que tu cherches, tu ne t'es pas adressée à la bonne personne.

— Allez, Gabe, s'exclama-t-elle avec un petit rire. Tout le monde sait que tu es expert en la matière et je ne demande qu'à apprendre ! Ta réputation de piège à filles n'est plus à faire !

— De piège à filles ? dit-il en s'étranglant à moitié de rire.

— Il paraît que dès qu'elles te voient arriver, avec ton allure de cow-boy, les filles de la grande ville se ruent littéralement sur toi !

— Et tu te fies à ces ragots !

— Même pas. Il me suffit d'ouvrir les yeux pour observer ce qui se passe chaque fois que tu en ramènes une ici. Elles ont une manière de te dévorer des yeux, surtout quand tu t'occupes du bétail.

Avec un soupir d'irritation, elle reprit les tasses vides pour les poser à côté de son sac.

— Dis donc, s'enquit Gabe, tu en as vu récemment avec moi, des filles de la ville ?

— Non, dut-elle reconnaître tout en se demandant si elle n'avait pas touché un point sensible.

Durant les visites qu'elle avait rendues à Gabe à l'hôpital en compagnie de son grand-père, jamais elle n'avait aperçu la moindre minette. Pour autant qu'elle avait pu en comprendre, aucune n'avait eu assez de force de caractère pour résister aux longs mois de convalescence et de rééducation.

— Tu sais, poursuivit-elle pour changer de sujet, grand-père reconnaît que c'est de sa faute si je suis un vrai garçon manqué. Il dit qu'il ne s'est jamais vraiment soucié de ma touche de féminité.

— Qu'est-ce qu'il veut dire par là ?

— Qu'il aurait dû m'envoyer en ville quand j'ai quitté l'école, au lieu de me laisser revenir travailler directement ici. A la fac, ou à l'étranger, pour que je puisse rencontrer d'autres gens et voir du pays, élargir mon horizon, comme tu l'as fait, toi.

— Mais ce n'est pas trop tard. Pourquoi ne pars-tu pas maintenant ? D'ailleurs, si tu es décidée à te marier, ce ne sont pas les types qui manquent sur la côte.

— Je ne vois pas ce que je ferais d'un garçon de la ville. C'est d'un éleveur que j'ai besoin, pas d'un banquier coincé ou d'un informaticien complètement borné. D'ailleurs, ce ne sont pas les cœurs à prendre qui font défaut dans cette région. Mon problème, c'est que je ne sais même pas comment se passent les travaux d'approche. Je n'ai jamais fréquenté de bande de filles. Même en pension, je ne m'intéressais ni à la mode, ni au maquillage, ni au…

— Au flirt ? lança Gabe avec un petit sourire.

— Exactement. Je n'ai aucune idée de ce qu'une fille doit faire quand elle veut… flirter, je veux dire montrer à un type qu'il l'intéresse, en quelque sorte.

A cet instant, un nuage vint soudain masquer la lune et ils se trouvèrent plongés dans l'obscurité. Justement, Rachel aurait bien voulu pouvoir observer le visage de Gabe pour deviner s'il se sentait gêné d'aborder un sujet si personnel. Lorsqu'il lui répondit enfin, elle trouva sa voix étrangement rauque.

— Je ne crois pas être la personne-ressource pour ce genre de conseil. J'ai peur de ne pas t'enseigner la bonne méthode.

Il y en avait donc une mauvaise… Elle se rappela la bande de minettes qui ne quittait pas Gabe d'une semelle lors de ses séjours au ranch et elle se sentit brusquement rougir. En définitive, mieux valait que la lune se soit cachée.

Mais, une fois le nuage dissipé, elle s'aperçut que Gabe la regardait pensivement tout en étirant ses longues jambes.

— Alors, comme ça, tu veux apprendre à plaire ?

Elle sursauta. Jamais elle n'aurait cru qu'elle se sentirait si gênée en l'entendant aborder ce sujet. Peut-être aurait-il mieux valu lui demander d'oublier sa question. Au fond, elle n'avait pas vraiment besoin de conseils. Malgré son manque d'expérience, elle avait lu assez de livres, vu assez de téléfilms et entendu assez d'histoires racontées par des éleveurs devant un feu de camp pour savoir ce qu'était le sexe, physiologiquement parlant.

En théorie.

Elle se rappela la dernière soirée à laquelle elle avait été invitée. Le frère de Gabe, Jonno, s'était faufilé jusqu'à elle pour lui demander de dire un mot en sa faveur à Suzanne Heath. Les types lui demandaient toujours ce genre de service. Ils la considéraient comme un copain, un intermédiaire entre eux et la fille dont ils cherchaient à faire la connaissance. Mais elle, ils ne pensaient même pas à la désirer.

Ses yeux croisèrent ceux de Gabe.

— Tu n'as pas besoin de leçons de flirt, dit-il doucement en se tournant vers l'enclos comme pour mettre un terme à cette discussion. Nous ferions mieux d'affiner notre stratégie pour en finir avec les voleurs, s'ils se pointent ici.

— Non, répliqua-t-elle un peu trop vite. Ce sont des lâches qui ont peur de leur ombre. Mais flirter, apprendre à plaire, comme tu disais tout à l'heure, voilà exactement ce que je voudrais savoir faire.

— C'était pour rire, dit-il, agacé.

— Moi, je ne riais pas.

En soupirant, il hocha la tête.

— Tu cherches vraiment à me mettre au pied du mur, Rachel O'Malley.

— Parfaitement, répliqua-t-elle en sentant son cœur battre plus vite.

2.

Gabe s'éclaircit la voix. Il resta un moment à observer le vol un peu lourd du hibou qui venait presque de les frôler.

— Pour être honnête, je n'ai jamais analysé ce qui arrive exactement quand une femme plaît à un homme. Question d'instinct, à mon avis, déclara-t-il en se grattant pensivement le cou. Je suppose qu'il se passe quelque chose au niveau des sens. Ils doivent réagir bien avant que le cerveau ne comprenne la situation.

— Les sens ? Tu veux dire la vue, l'ouïe ? s'enquit-elle, frappée par l'aspect pratique, presque technique, de cette information.

— Sûrement et, à mon avis, pour la plupart des types, la vue arrive en première position.

— Mais, justement, ils ne *voient* pas que je suis une fille. Je n'ai donc pas la moindre chance d'attirer leur attention !

— Disons qu'il est difficile à un homme de savoir si une femme est… disponible, quand elle se cache toujours sous un vieux chapeau, des jeans, un T-shirt trop large et des bottes de cheval, dit-il en laissant furtivement glisser son regard sur les vêtements de la jeune femme.

— Tu veux dire qu'il faudrait que je m'habille comme Suzanne Heath ? lança-t-elle en se tortillant, gênée. Que je porte des robes trop petites de deux tailles ?

— Qui est-ce ?

— La fille sur laquelle ton frère avait des vues, à la soirée, le mois dernier.

— Alors, tu as jeté ton dévolu sur lui ? s'exclama-t-il en se raidissant.

— Pas particulièrement. C'était juste un exemple. N'oublie pas que je suis complètement désespérée.

Elle fut surprise de sentir la main de Gabe sur son épaule.

— Rachel, dit-il avec une sorte de sauvagerie, il faut que tu me fasses une promesse. Tu n'es pas vraiment désespérée. Jure-moi de ne pas te marier à quelqu'un que tu n'aimeras pas.

Effrayée par la dureté de son regard et de sa voix, elle baissa les yeux.

— Mais peut-être sera-t-il facile de me plaire !

— Souviens-toi que tu mérites quelqu'un de bien, quelqu'un qui t'aime vraiment, dit-il en lui souriant et en desserrant l'étreinte de ses doigts sur l'épaule de la jeune femme, comme s'il venait seulement de remarquer qu'il la tenait si fermement.

— Je m'en souviendrai le moment venu, répondit-elle en essayant de dissimuler son trouble. Mais, d'abord, j'aimerais bien qu'il y ait au moins un homme qui s'aperçoive que j'existe. Le problème, c'est que je n'aime pas les vêtements qui ont l'air de leur plaire. Je hais les robes moulantes, les minijupes et les décolletés plongeants.

— Pourquoi ?

— Je n'en sais rien. Ça… ça a l'air… tellement inconfortable !

— Tu en as déjà porté ?

— Non.

— Tu pourrais faire un essai, dit-il avec un sourire rassurant.

— Mais les filles qui s'habillent de cette façon ont des tas de rondeurs !

— Pas plus que toi.

Elle fut surprise qu'il l'ait remarqué. Mais peut-être ne cherchait-il qu'à la rassurer.

— Sans doute pourrais-je tricher un peu ?

— Quand ton mari s'en apercevra, il risquera d'être fort déçu.

— Quelle importance ? Il sera trop tard, n'est-ce pas ?

— Ma petite fille, dit Gabe en hochant sentencieusement la tête, je crois que tu as quand même beaucoup à apprendre.

Elle regarda au loin. Jamais elle ne trouverait un homme avec qui elle puisse partager des secrets aussi intimes. Soudain, elle sentit sa queue-de-cheval se dénouer et ses cheveux se répandre en flots sur ses épaules.

— Tu devrais déjà te débarrasser de cet élastique.

Tout en l'enroulant autour de son poignet, elle secoua la tête. Grand-père disait que ses cheveux étaient jaunes mais, sur son permis de conduire, il était indiqué qu'ils étaient blonds. Blond vénitien, même, selon un de ses profs de la pension. Mais le problème, c'était justement sa peau délicate de blonde, une peau très pâle qui ne supportait absolument pas le soleil.

— Tu devrais te coiffer plus souvent de cette manière. Un type qui verrait tes cheveux dénoués, surtout au clair de lune, serait forcément très impressionné, crois-moi.

— Alors, il faut que je laisse mes cheveux sur mes épaules et que j'achète une mini ?

— C'est sûr qu'une petite touche plus féminine ne te nuirait pas.

— D'accord. Supposons que la question de mon look soit réglée, qu'est-ce que je fais, après ? Parlons des autres sens. L'ouïe. Je ne sais pas si j'arriverai à tenir longtemps si je prends une voix rauque et sensuelle.

— N'aie crainte, contente-toi de déclarer à l'heureux élu que tu le trouves magnifique et ta voix n'aura plus grande importance.

Le flirt et la flatterie marchent main dans la main. D'ailleurs tu as, naturellement, une voix très agréable.

— Tu me rassures… Passons à l'odorat. Qu'est-ce qui fait impression, dans ce domaine ?

— L'odeur de frais, de propre.

— Et les parfums ?

— Rien de trop fort. Quelque chose qui exalte ta féminité sans l'étouffer.

— Et pour toi, quelle est l'odeur de la féminité, au juste ?

Brusquement, une étrange vision s'imposa à Rachel : Gabe, serrant dans ses bras une femme splendide à la longue chevelure et aux courbes voluptueuses. Elle crut sentir l'odeur que dégageait cette créature de rêve, voir Gabe poser ses lèvres sensuelles sur cette gorge pâle et s'enivrer de son parfum.

Elle releva brusquement la tête. Il la regardait et semblait aussi gêné qu'elle. Mieux valait sans doute passer à un autre sujet. En fait, il ne restait guère que le goût, mais tenait-il la moindre place dans le processus de séduction ?

— Le goût et le toucher n'interviennent pas dans le flirt, n'est-ce pas ?

En guise de réponse, Gabe lui jeta un regard qui fit s'accélérer soudain les battements de son cœur.

— Enfin, reprit-elle, embarrassée, en essayant de maîtriser sa respiration, ils ne commencent à compter que quand on en arrive aux baisers, pas tant qu'on en est au flirt proprement dit. Bon. Eh bien, Gabe, merci pour tous ces conseils. Je crois que nous avons fait le tour du problème.

— Rachel, ce genre de contact ne te fait pas peur, n'est-ce pas ?

Curieusement, c'était maintenant lui qui semblait ne plus vouloir lâcher le sujet. Elle sentit son pouls battre violemment au creux de son cou.

— Je… je ne crois pas…

26

En fait, elle n'avait qu'une expérience très limitée des baisers et des caresses et, sur sa propre échelle du plaisir, elle ne connaissait que deux degrés : « désagréable » et « franchement déplaisant ». Mais elle devait se rappeler que s'il y avait quelqu'un au monde avec qui elle pouvait aborder la question, c'était bien Gabe.

— Je n'en sais rien, au fond. Peut-être, reprit-elle sans lever les yeux.

Elle eut l'impression qu'il se penchait vers elle et sentit qu'il lui caressait légèrement la joue du bout des doigts. Elle se surprit à désirer que cette caresse soit plus appuyée et inclina la tête pour mieux en percevoir la douce chaleur contre sa peau. La main de Gabe, elle la connaissait parfaitement avec sa vaste paume carrée, et ses longs doigts vigoureux. Les yeux fermés, elle en chercha le contact de sa joue tendue.

Il lui sembla que son souffle devenait plus court tandis qu'elle sentait le pouce de Gabe descendre lentement le long de sa joue jusqu'à son menton. Elle fut étonnée de trouver ce frôlement si doux, si excitant. Puis le pouce remonta vers ses lèvres et ce fut comme si sa peau devenait différente, soudain très sensible, plus vivante… Il atteignit sa lèvre inférieure et se mit à en suivre la courbe, une fois, puis une autre, puis une autre encore…

Il s'arrêta soudain. Trop vite. Elle eut l'audace de relever la tête jusqu'à ce qu'elle sente à nouveau les doigts contre ses lèvres.

— J'ai l'impression que tu en sais plus long que tu ne le montres sur le toucher, mon petit rayon de lune, murmura-t-il d'une voix rauque contre son oreille.

— Ne le crois pas, Gabe. Mais je veux apprendre.

Au même moment, il lui sembla que sa peau s'embrasait, qu'une vague d'excitation et de chaleur intense parcourait son corps tout entier. Le visage de Gabe se trouvait si près du sien qu'elle devinait la rugosité de sa barbe naissante contre sa joue.

Soudain, elle eut envie qu'il parcoure son visage de ses lèvres comme il venait de le faire de ses doigts.

— Veux-tu m'embrasser ? chuchota-t-elle. Juste pour que je m'entraîne…

Il prit son visage entre ses mains et se pencha vers elle. Elle le sentait maintenant si merveilleusement proche. D'elles-mêmes, ses paupières se fermèrent.

— Je n'ai pas le droit de t'embrasser, lança-t-il brusquement

Elle ouvrit les yeux au moment où il se détournait d'elle.

— Je ne sais pas où j'avais la tête, murmura-t-il en se redressant, le regard plein d'inquiétude.

Soudain, une vague de désarroi la submergea. Quelle folie l'avait donc saisie ? La sensation qu'elle avait éprouvée l'avait bouleversée au point qu'elle se jette à la tête de Gabe. Elle devait être complètement hors d'elle-même !

Elle eut un geste pour enfouir sa tête dans ses mains, mais les laissa retomber avec un soupir de résignation.

— Rachel, tu es consciente de la façon dont tu t'es comportée ? s'exclama-t-il. Continue à réagir de cette manière et tu n'auras pas à attendre longtemps avant de tirer le mauvais numéro !

Les joues en feu, elle le regarda se relever et s'écarter à grands pas, dans un crissement de bottes. Comment tout cela avait-il pu arriver ? A quel moment exactement la conversation avait-elle dérapé ? Gabe avait-il raison ? Etait-elle incapable de dominer ses sens ?

Quelques minutes à peine auparavant, ils bavardaient gentiment en plaisantant. Pourtant, il l'avait caressée trop tendrement, comme s'il avait envie de l'embrasser autant qu'elle le désirait elle-même. Maintenant, il avait l'air furieux et bouleversé. Jamais il ne s'était comporté ainsi vis-à-vis d'elle.

Mais il n'avait pas le monopole de la colère, se dit-elle en sentant soudain la moutarde lui monter au nez ! Au fond, elle lui avait fait confiance. Si ses sens l'avaient trahie, le responsable, c'était lui.

— Dieu m'épargne de tirer le mauvais numéro ! s'exclamat-elle en se levant à son tour pour le regarder bien en face, les bras croisés sur la poitrine. Et je ne voudrais surtout pas qu'il te ressemble, Gabe Rivers.

Il resta un moment silencieux, les mâchoires crispées, les mains enfoncées dans ses poches. Puis il eut un petit haussement d'épaules et sa bouche se tordit en une grimace fugitive. Lentement, il alla se rasseoir auprès de son sac.

— Ravi qu'aucun malentendu ne subsiste entre nous, murmura-t-il entre ses dents.

3.

— Alors, ces bandits, vous les avez repérés ?

Quand Gabe et Rachel montèrent les marches, d'un pas fatigué, peu après l'aube, Michael Delaney les attendait sous la véranda.

— On n'en a pas vu l'ombre, grommela Gabe.

Rachel se précipita pour embrasser son grand-père.

— Comment vas-tu ? demanda-t-elle tout en l'examinant anxieusement. Roy a passé la nuit ici ?

Roy était un ancien employé, maintenant aussi vieux et fragile que Michael. Cela faisait des années qu'il ne pouvait plus s'occuper du bétail. Pourtant, comme la seule pensée de la maison de retraite le rendait malade, il vivait à Windaroo, dans une maisonnette, toujours prêt à se rendre utile en exécutant de petits travaux.

— Il est reparti chez lui quand il a entendu le bruit de votre 4x4.

— Comment as-tu dormi ? s'enquit Rachel.

— Pas trop mal.

— Tu as pris tous tes médicaments ?

— Tous sans exception. Je suis tellement bourré de pilules que ça cliquette quand je me déplace. Mais assez parlé de moi. Je veux savoir ce qui s'est passé cette nuit.

30

Gabe perçut une tension soudaine chez Rachel tandis qu'elle écartait une mèche qui tombait sur son visage. Ce matin, elle n'avait pas réussi à retrouver son élastique, ce qui l'avait passablement contrariée. Elle savait que Michael n'avait pas les yeux dans sa poche et que, s'il la voyait décoiffée, il ne manquerait pas d'en tirer les conclusions qui s'imposaient. En ce moment, son regard bleu, fatigué mais inquisiteur, faisait d'incessants allers-retours de son visage à celui de Gabe.

— Avec la pleine lune et cette température printanière, c'était une nuit magnifique pour se balader, remarqua-t-il.

— Nous ne sommes pourtant qu'au mois d'août, répondit Rachel. Pour le printemps, il faudra attendre la semaine prochaine.

Sans lui répondre, Michael s'installa plus confortablement dans sa chaise en souriant d'un air entendu.

Gabe se demanda pourquoi son vieil ami semblait si content de lui. Il avait lui-même passé une nuit plutôt pénible et, bien qu'il ne lui eût pas posé la question, il était sûr que Rachel, elle non plus, n'avait guère dormi.

— J'étais convaincue que les voleurs tenteraient leur chance dans cet enclos, dit la jeune femme en ramenant ses cheveux derrière ses oreilles. Si jamais ils avaient opéré ailleurs, je serais furieuse. Sans parler de Gabe que j'aurai fait déplacer pour rien.

Ce dernier, en proie à un pénible sentiment de culpabilité, baissa les yeux pour éviter de se trahir en croisant le regard de Michael. Il ne s'était *rien* passé, bien heureusement. Mais ç'avait été de justesse. Un peu trop pour qu'il se sente vraiment blanc comme neige.

Quel idiot de s'être laissé entraîner dans cette discussion sur le flirt ! Mais comment prévoir que Rachel réagirait de façon si sensuelle, alors qu'il l'avait à peine effleurée ?

Surtout, comment deviner qu'il aurait lui-même tant de mal à résister à sa charmante petite bouche en cœur ? Il avait vraiment failli se laisser aller à l'irréparable. Le résultat, c'était cette tension gênante qui avait ébranlé leur vieille amitié.

— Nous avons une faim de loup. Je file préparer le petit déjeuner, dit Rachel en disparaissant dans la maison sans se retourner.

Gabe comprit qu'elle cherchait surtout à l'éviter.

— Installe-toi, lui ordonna Michael en tapotant le bras d'un vieux fauteuil de bois à côté de lui. Elle a horreur d'avoir quelqu'un dans les pattes quand elle travaille à la cuisine.

Gabe ne put retenir une grimace de douleur en s'asseyant sur le siège trop bas. Ce matin, après une nuit sans sommeil passée à la dure, ses blessures se rappelaient cruellement à lui. Il sentait presque aussi perclus et fragile que Michael.

En compagnie du vieil homme, il finit pourtant par se détendre. Pendant quelques minutes, ils contemplèrent en silence les pâturages de Windaroo qui se perdaient à l'horizon.

Brusquement, il eut l'impression que ce décor paisible se transformait en un tas de fragments de verre et de tôle tordue. Cette vision fugitive s'accompagna d'une douleur fulgurante, comme si ses membres se brisaient à nouveau. Il était régulièrement sujet à ce genre d'hallucinations qui se produisaient toujours de manière inopinée. Il avait beau refouler ses souvenirs, les tenir à l'écart, il ne pouvait s'empêcher de revivre l'accident, plus souvent qu'il ne l'aurait voulu.

Naturellement, les psychiatres ne manquaient pas d'explications à ce phénomène : c'était, disaient-ils, sa façon à lui d'exprimer sa colère rentrée. Sans doute avaient-ils raison. Il aurait mieux supporté ses blessures s'il les avait subies dans le cadre de ses fonctions.

Des risques, il en avait pris plus d'une fois depuis qu'il s'était engagé. Sans la moindre hésitation, il avait rejoint le contingent australien de l'ONU pour intervenir dans des points chauds du globe : Somalie, Cambodge, Rwanda. Il ne comptait pas les occasions où il avait essuyé le feu. Par deux fois, il avait réussi des atterrissages forcés qui auraient aussi bien pu tourner à la catastrophe.

Ironie du sort, après avoir traversé tant d'épreuves, c'est sur une autoroute et pendant une permission qu'il avait rencontré son destin, un semi-remorque lancé à grande vitesse qui l'avait littéralement broyé.

« Suffit ! »

— Il faudrait bien qu'il pleuve, finit-il par articuler, honteux de proférer une telle banalité mais peu désireux d'aborder avec Michael le sujet de Rachel.

Le vieil homme acquiesça distraitement avant de se tourner vers Gabe.

— Rachel et moi, nous avons parlé de l'avenir. Tu es au courant ?

— Oui, répondit Gabe en posant la main sur l'épaule de son vieil ami. J'ai été désolé d'apprendre ces mauvaises nouvelles.

— C'est la petite qui me préoccupe.

— Elle a été bouleversée, bien sûr.

Michael lui lança un regard pénétrant.

— Tu la connais presque aussi bien que moi, Gabe. Tu crois qu'elle se montrera raisonnable ?

Gabe hésita un instant. Michael n'était pas homme à se satisfaire de faux-semblants.

— Tu te rends bien compte qu'elle est malade à l'idée que tu vendes Windaroo.

— Je le sais. Mais toi, tu es capable de comprendre qu'il n'y a rien d'autre à faire. Elle est seule. Je ne mourrai pas tranquille si je lui laisse la propriété sur les bras. Ces dernières années, elle ne marchait plus très fort. Il y a des dettes. Ce serait trop lourd.

— Peut-être, mais elle est prête à tout pour t'en empêcher. Elle est décidée à rester là, à n'importe quel prix.

A la surprise de Gabe, Michael n'eut pas l'air aussi contrarié par cette information qu'il l'aurait cru. Son regard s'éclaira fugitivement.

— Ah ! Bon. Et elle t'a expliqué ce qu'elle avait en tête ?

Jamais Gabe n'aurait trahi une confidence, mais Rachel ne lui avait pas demandé de garder le secret. D'une certaine façon, l'idée de mettre Michael au courant ne lui déplaisait pas. Ainsi, le vieil homme pourrait prendre des informations au sujet des prétendants de la jeune femme.

— Elle veut se trouver un mari.

— Parfait ! s'exclama Michael en se tapant gaiement sur la cuisse. Elle t'a annoncé cette nouvelle la nuit dernière ?

Gabe acquiesça silencieusement.

— Et après ? Qu'est-ce que tu as décidé ?

— Comment, qu'est-ce que j'ai décidé ?

— Tu m'as parfaitement compris.

— Du calme. Moi, je n'ai rien à voir avec tout ça.

Michael s'affaissa comme s'il avait reçu un coup en pleine poitrine.

— Hé là ! s'écria Gabe en se penchant pour lui secouer doucement l'épaule. Quel vieil idiot romantique tu fais ! Tu as cru que j'allais la demander en mariage ?

— Ce ne serait pas si étonnant. J'ai mon idée sur tes sentiments à son égard.

Gabe en eut le souffle coupé. Que pouvait-il bien vouloir dire par là ? Il devait se faire des illusions. Quels sentiments était-il censé éprouver pour Rachel ?

Rachel ! La gamine d'à côté. Bien sûr, elle avait quelque chose de particulier. Pleine de vie, courageuse, la franchise même. Il avait toujours été séduit par sa gentillesse, son naturel, son goût pour l'aventure. Il se sentait lié à elle et même un peu responsable d'elle. Sûrement même, mais pas plus.

Un vide se creusa dans sa poitrine.

La veille, il l'avait échappé belle. Un moment d'égarement. Mais il ne s'était rien passé. *Rien.*

Michael le regardait maintenant avec la même anxiété qu'un prévenu attendant le verdict du jury. Mais que lui voulait-il, à la fin ? Il avait six ans de plus que Rachel et justement, à cet instant, il se sentait aussi vieux que Mathusalem. Pour lui, l'avenir était très incertain. Son accident l'avait marqué, diminué. Même s'il le désirait — et, honnêtement, ce n'était pas le cas —, ce serait de la folie de songer à s'unir à une jeune femme pleine de vie et de santé.

— Rachel doit s'intéresser à un homme plus jeune et plus en forme que moi, murmura-t-il.

Pendant un long moment, Michael le fixa avec incrédulité avant que son regard n'exprime une sorte de résignation.

— Qui est-ce ? s'enquit-il.

— Je ne suis pas certain qu'elle ait vraiment un candidat sur les rangs, dit Gabe, comprenant que le vieux monsieur avait mal interprété ses propos.

— Ah bon ! fit Michael en s'étirant dans son fauteuil d'un air plus détendu.

— Simplement, elle va se mettre sérieusement à chercher quelqu'un. Et uniquement parce qu'elle espère ainsi t'empêcher de vendre Windaroo.

— Elle n'a pas tort. Je ne vendrais pas si j'étais sûr qu'elle ait un homme capable de l'épauler.

— Alors, tu dois être tout content de la voir se lancer dans le mariage pour cette raison ?

— Tu ne trouves pas, toi, que c'est une bonne idée ? demanda le vieil homme. De toute façon, elle n'a rien à perdre à regarder un peu autour d'elle et à tâter le terrain. Mais garde un œil sur elle, je t'en prie.

— Tu ne veux pourtant pas que je la suive partout comme un petit chien ?

Le vieil homme eut un haussement d'épaules résigné.

— La forêt est profonde, dit-il. Les loups rôdent.

— Mais je risque de l'encombrer plus qu'autre chose.

Michael sortit de sa manche son dernier atout :

— Je suis vieux. Je vais mourir. Peux-tu me rendre ce service ?

— Je ne sais pas combien de temps je resterai dans le secteur mais tu peux compter sur moi, promit Gabe, attendri par la ruse de son vieil ami.

— Dis donc, ça sent drôlement bon. Le déjeuner doit être prêt.

Mais, après cette conversation, Gabe n'avait plus si faim.

— Je dois rentrer, déclara-t-il. J'ai promis à Jonno de lui donner un coup de main pour arranger un parc à bestiaux.

Dans la cuisine, Rachel était en train d'apporter les toasts et le beurre sur la table lorsqu'elle surprit son reflet dans un vieux miroir, près du portemanteau. Elle sursauta en se voyant et se rapprocha pour se regarder, sans plus se préoccuper de sa tâche. Avec ses cheveux dénoués, elle avait du mal à se reconnaître. Un instant, elle oublia même la façon stupide et embarrassante dont elle s'était conduite la nuit précédente. Il lui semblait sentir encore la main de Gabe caressant sa chevelure et remontant doucement sur son visage.

Elle se trouva l'air épanoui. Rayonnante et souriante comme une image de magazine.

Quelle idiote !

Elle n'avait pourtant aucune raison de sourire. Comment avait-elle pu être assez bête pour proposer à Gabe de l'embrasser ? Gabe qui avait connu les baisers d'un bataillon de femmes toutes plus sexy les unes que les autres !

Elle s'écarta brusquement du miroir. Les événements de la nuit précédente n'avaient fait que confirmer ce qu'elle devinait déjà : avant de maîtriser la stratégie de la séduction, il lui restait beaucoup à apprendre.

Elle se précipita dans la salle de bains, saisit sa brosse et réussit à aplatir suffisamment ses cheveux pour les maintenir solidement avec un élastique. En tout cas, une chose était certaine. La prochaine fois qu'elle se lancerait dans une séance de flirt, elle s'arrangerait pour que Gabe Rivers ne se trouve pas dans les parages.

4.

— Je me sens bizarre, tellement sophistiquée que j'ai l'impression que ce n'est pas moi.

Près du lit de son grand-père, Rachel se regardait dans le grand miroir en pied. Et ce qu'elle voyait ne correspondait absolument pas à son attente.

— Mais tu es ravissante, ma chérie, s'exclama Michael, souriant de toutes ses dents, debout dans l'embrasure de la porte. On dirait une vraie princesse !

— Toute cette peau nue, tu es sûr que ce n'est pas trop ?

— Mais non ! D'ailleurs, tu as une peau magnifique. Ce serait dommage de ne pas la montrer. Cette nuit, tous les jeunes gens n'auront d'yeux que pour toi.

Elle se tourna pour s'examiner sous un autre angle. De toute façon, maintenant, il était trop tard pour faire marche arrière. Elle irait au bal de printemps à Mullinjim. La chasse au mari était ouverte. Pour de bon.

Sachant qu'il lui faudrait de l'aide en matière de maquillage, coiffure et robe de bal, elle avait fait appel à une esthéticienne itinérante spécialisée en relooking qui faisait de la publicité dans le journal local.

April, l'esthéticienne en question, avait été formelle :

— Du blanc, avait-elle déclaré. La petite robe noire est définitivement démodée. Il vous faut du blanc. C'est tellement

38

tendance et vous avez exactement le teint qu'il faut. Ce n'est pas donné à tout le monde, croyez-moi.

Malgré ses doutes, Rachel s'était bien gardée de protester.

— Avec un corps mince et ferme comme le vôtre, quelque chose d'ajusté serait idéal. Un décolleté profond. Un ourlet asymétrique. Ce style mettra en valeur votre silhouette et votre splendide teint crémeux, poursuivit April avec un enthousiasme croissant. Vous avez des épaules magnifiques, alors, optons pour un dos nu retenu sur le cou par une bretelle très fine.

— Et de ce côté ? s'enquit Rachel en désignant d'un air dubitatif sa poitrine trop modeste à son goût.

— Attendez d'avoir essayé la robe que j'ai en tête. Elle va faire exploser vos courbes. D'ailleurs, vous devriez vous réjouir d'avoir ces seins hauts et fermes que bien des femmes vous envieraient, croyez-moi !

La robe avait été commandée et expédiée. Cet après-midi, April s'était livrée aux dernières retouches concernant la coiffure et le maquillage.

— Il faut donner de l'éclat à ces jolis yeux bleus qui, le soir, à la lumière artificielle, risqueraient peut-être de manquer de mystère. Je vais donc appliquer une ombre sur vos paupières et ajouter quelques faux cils.

— Impossible ! avait protesté Rachel. Les faux cils, c'est vraiment trop.

— Attendez d'avoir vu le résultat, mon poussin. Je suis un vrai génie en la matière. Je les coupe et je les pose un à un à l'extérieur de l'œil pour que cela fasse plus naturel. Ils vont simplement vous donner un petit air sexy, pas vous transformer en drag-queen !

Remisant tous ses doutes, Rachel s'était abandonnée aux mains expertes. Maintenant, au vu des résultats, elle reconnaissait qu'April était géniale. Une fée, hors de prix, certes, mais capable de changer un vrai garçon manqué en une ravissante princesse.

Quant à la robe, c'était un pur rêve de soie blanche qui lui faisait une silhouette magique. Alors que Rachel aurait préféré dénouer ses cheveux sur ses épaules, comme le lui avait suggéré Gabe, April avait tenu à les relever :

— Il faut mettre en valeur votre nuque et la ligne de votre cou.

Bien qu'elle eût craint de paraître trop maquillée, en s'observant dans le miroir, elle se dit qu'April avait travaillé de façon vraiment subtile et délicate. Soudain, elle sentit un regard sur ses épaules. Michael la contemplait avec une infinie tendresse.

— Pour que tu sois parfaite, il faut ajouter la touche finale, dit-il en lui tendant ses mains ostensiblement fermées.

— De quoi s'agit-il ?

Avec un sourire de petit garçon, il ouvrit les doigts.

— C'étaient celles de Bella.

Le cœur de Rachel se mit à battre plus vite. A part des photos, Michael ne lui avait jamais rien montré qui eût appartenu à sa mère. Au creux de ses mains calleuses reposaient deux boucles d'oreilles ornées de perles suspendues à un mince anneau de diamants.

— Oh ! Grand-père, elles sont magnifiques, souffla-t-elle en jetant ses bras autour du cou du vieil homme. Merci. Jamais je n'aurais cru que maman possédait un bijou aussi adorable. Je suppose qu'elle n'était pas un garçon manqué, contrairement à moi.

— Mais si ! protesta Michael avec un sourire mélancolique. Jusqu'au jour où Peter O'Malley est arrivé dans cette vallée et lui a fait faire un tour de danse. Dès le lendemain, la maison s'est emplie de robes et de flacons de maquillage et notre fille des bois s'est transformée en une princesse des Mille et Une Nuits. Méconnaissable !

Rachel sentit son cœur bondir dans sa poitrine à l'évocation du coup de foudre de ses parents. Inconsciemment, elle se tourna à nouveau vers le miroir.

— Oui, reprit Michael. Tu as l'air d'être devenue brusquement une jeune femme. Tout comme elle. J'ai toujours su qu'un jour ton cœur se réveillerait. Tes yeux sont exactement du même bleu que les siens, mais ton joli profil, c'est celui de ta grand-mère, de ma chère Marie. Quant à tes cheveux jaunes, ils viennent de ton père, pas de doute.

Il fit glisser les boucles d'oreilles dans ses paumes pour qu'elles captent mieux la lumière.

— Peter les avait offertes à Bella le jour de leur mariage qui s'est déroulé ici même, à Windaroo, près du perron. Une cérémonie magnifique.

— Je t'en prie, ne me fais pas pleurer, sinon mon maquillage va couler.

— Excuse-moi. Quand je te vois si mignonne, j'en deviens tout nostalgique, murmura-t-il en lui tendant les pendants d'oreilles. Et j'ai tellement envie d'assister bientôt à un autre mariage à Windaroo !

— Ne prends pas trop tes désirs pour des réalités, quand même.

Il eut un petit rire entendu.

— Au fait, ce parfum, c'est pour leur faire tourner la tête ?

Elle se détourna vivement et enfila la première boucle d'oreille.

— Tu trouves qu'il est un peu fort, peut-être ?

— Pas du tout. Il sent bon comme du pain frais.

— Tu me rassures, répondit-elle en riant avant d'accrocher la seconde perle.

Dans le miroir, elle constata que le bijou ajoutait une touche raffinée à sa tenue.

— Qu'en penses-tu ? demanda-t-elle en se tournant vers Michael.

Le regard du vieux monsieur s'illumina.

— Ce soir, tu vas prendre tous les cœurs au piège.

Il passa son bras sous celui de la jeune femme pour la conduire jusqu'à la véranda où le vieux Roy, qui devait tenir compagnie à Michael ce soir-là, était assis dans un fauteuil. Lorsqu'il les vit, il se dressa d'un bond.

— Dieu du ciel ! s'exclama-t-il en contemplant Rachel.

— Que dis-tu de notre princesse ? dit Michael en se rengorgeant.

Roy tapota longuement son crâne chauve.

— Je veux bien être pendu. C'est notre Rachel qu'est devenue une vraie demoiselle !

— Merci Roy, répondit-elle en souriant.

Au fond, rien n'était meilleur pour le moral que les compliments de ces deux vieux copains.

— Il te faudrait un carrosse d'or tiré par six chevaux blancs, lui dit Michael en l'accompagnant jusqu'au 4x4 dont il lui ouvrit cérémonieusement la portière cabossée. Pas cette vieille guimbarde.

Avec une grimace outrée, elle se glissa derrière le volant avant de déposer délicatement son petit sac sur le siège du passager.

— Il te manque un cavalier pour te conduire à ce bal, ajouta-t-il. Je regrette de te voir partir toute seule. De mon temps, une fille ne se serait jamais rendue toute seule au bal.

— Mais je sais conduire. Je ne boirai pas plus d'un verre, promis. Pas question que tu passes la soirée à te faire du souci.

Elle frissonna en repensant aux paroles du médecin : le vieux cœur fatigué ne supporterait pas une autre attaque.

— Je ne m'en fais pas du tout. J'espérais seulement que tu aurais demandé à Gabe de venir te chercher.

42

Elle soupira avec ostentation. Ces deux dernières semaines, bien que Gabe ne se fût guère montré à Windaroo, Michael n'avait pas cessé de faire allusion à lui.

— Tu sais parfaitement que j'essaie de trouver un mari. Gabe ne ferait que me gêner.

— Tu crois vraiment ?

— J'en suis sûre.

Le vieil homme baissa les yeux en hochant lentement la tête.

— Quant à ce mari… Je sais bien pourquoi tu t'es mis cette idée en tête et je me sens responsable. Alors, je voudrais te donner un conseil.

— De quoi s'agit-il ?

— Tu vas encore me traiter de vieux fou romantique, mais c'est ton cœur qu'il te faudra écouter avant de faire ton choix, pas ta tête.

— Tu es un vieux fou romantique, répliqua-t-elle mais je t'adore et je n'oublierai pas ce conseil.

Par la vitre du 4x4, elle lui envoya un baiser avant d'accélérer, les yeux pleins de larmes, tout en le suivant des yeux dans le rétroviseur. Il s'était arrêté au pied de l'escalier et la regardait en souriant. La pensée qu'un jour il ne serait plus là sembla insupportable à la jeune femme.

Elle essaya de se remonter le moral en songeant aux distractions qui l'attendaient, s'étonnant presque de ne pas se sentir plus déçue à la pensée que Gabe n'assisterait pas à ce bal et ne pourrait la voir dans sa splendeur nouvellement conquise.

Le bal de Printemps de Mullinjim se tenait dans la salle des fêtes, un bâtiment de bois, tout simple. Mais, ce soir, l'intérieur avait été décoré de palmiers en pots, de guirlandes et de fleurs de papier. Au fond de la pièce, un petit orchestre s'entassait sur une minuscule estrade. Dans le coin cuisine où l'Association féminine rurale servait d'habitude du thé et des brioches, le comité des fêtes avait provisoirement installé un bar.

Il y avait des gens venus de tous les cantons alentour. Sans se soucier de la simplicité du cadre, la plupart s'étaient mis sur leur trente et un, arborant des tenues qui n'auraient pas paru déplacées à l'Opéra de Sydney : smoking pour les hommes, et, pour les femmes, longues robes de couleurs chatoyantes.

Rachel avisa un groupe de jeunes éleveurs agglutinés autour du bar. Elle les connaissait depuis sa plus tendre enfance. Mais à peine s'était-elle avancée vers eux qu'elle eut envie de tourner les talons et de s'enfuir dans la nuit.

Si seulement elle s'était un peu plus intéressée aux comédies sentimentales au lieu de s'en tenir aux films d'aventures ! Elle aurait cent fois préféré être transportée dans un saloon enfumé plein de mauvais garçons en train de boire, le chapeau sur la tête, que d'avoir à affronter ces malheureux jeunes gens aussi inoffensifs qu'endimanchés.

Elle se redressa sur ses jambes flageolantes. Résister et séduire. Qu'avait dit Gabe, déjà ? Séduction et flatterie marchent main dans la main.

Elle essuya furtivement ses paumes moites à sa robe de soie en espérant ne pas laisser de trace. Au fond, c'était comme de nager dans une crique d'eau glacée : le plus dur était de plonger.

Elle prit sa respiration avant de se diriger vers le bar à petits pas.

— Salut ! Vous êtes beaux comme des astres, ce soir !

Quelques têtes se tournèrent vers elle. Nonchalamment d'abord, puis avec un intérêt plus marqué. Certains restèrent bouche bée. D'autres se mirent à cligner des yeux. Jock Fleming, de Jupiter Down, avala précipitamment sa bière.

— Je rêve, réussit à articuler Steve Flaxton. C'est Rachel !

— Evidemment que c'est moi, s'exclama la jeune femme. Qu'est-ce qui vous arrive ?

Elle avait dû oublier quelque chose. Peut-être une fermeture Eclair mal remontée. Ou bien, son mascara avait coulé.

— Quelque chose ne va pas ? reprit-elle en cherchant frénétiquement des yeux un miroir.

Jonno Rivers, le frère de Gabe, retrouva le premier sa langue.

— Désolé, Rachel, mais on ne t'avait jamais vue encore dans une tenue de ce genre.

Dans le cœur de Rachel, la panique céda soudain place au soulagement, puis à une bouffée de colère. Elle se sentit furieuse. Déçue. Pourquoi restaient-ils là à la regarder sans dire un mot ? Où étaient les sourires admiratifs et les propos galants qu'ils étaient supposés lui adresser ? Pas un ne semblait même penser à lui proposer un verre !

L'orchestre s'était mis à jouer sur un rythme entraînant, mais Jock, Steve et Jonno se contentèrent d'échanger des regards gênés avec les autres garçons du groupe. Soudain, elle entendit un chuchotement étouffé :

— T'as vu ce qu'elle nous avait caché ? Depuis quand elle a de la poitrine ?

Avant qu'elle eût pu trouver la repartie adéquate, tous les regards s'étaient soudain tournés vers la porte d'entrée. Machinalement, elle leva les yeux pour apercevoir une imposante silhouette vêtue de sombre.

Horreur... Gabe venait d'entrer et semblait regarder dans sa direction.

Elle crut que son cœur s'était arrêté de battre.

Il était venu l'espionner, assister à son humiliation.

Bien sûr, il fallait reconnaître qu'il avait fière allure. Un beau ténébreux qui tranchait sur le lot, même si tous les hommes étaient en smoking. Un véritable héros vers qui convergeaient tous les regards !

Tous savaient qu'avant son accident il avait vu plus d'une fois la mort en face, bravant les cyclones pour secourir des naufragés, sauvant des incendies du bush des familles entières. Au Timor, il avait même délivré des réfugiés détenus par des miliciens armés de machettes.

Pour se réconforter, elle se dit qu'un homme de cette trempe ne saurait agir stupidement sous prétexte qu'une fille qu'il connaissait depuis toujours s'était mis une robe et un peu de maquillage. Mais, tandis qu'il traversait la pièce, les sourcils froncés et les épaules en avant, elle se sentit rougir jusqu'à la racine des cheveux.

Jetant un regard méprisant au petit groupe d'éleveurs qui l'entourait, il s'approcha d'elle comme pour l'inviter à le suivre sur la piste.

La perspective de danser avec Gabe n'était pas précisément faite pour la rassurer. Se retrouver dans ses bras. Le sentir si proche… Cette intimité leur rappellerait fatalement la nuit où elle lui avait demandé de l'embrasser et la situation embarrassante qui en avait découlé. Et si elle se retrouvait en proie aux mêmes émotions ? Comme une brassée d'herbe sèche près d'une allumette enflammée…

Pourrait-elle faire face ?

Il le fallait. Tout autant qu'il lui fallait échapper à cette bande d'idiots aux sourires niais.

Elle saurait résister, se dit-elle, consciente de la présence de Gabe tout près d'elle comme si un courant les reliait l'un à l'autre. Elle sentit peser sur elle, le regard sombre et grave qui la jaugeait, qui la transperçait, détaillant sa coiffure, s'attardant sur ses épaules, sur sa robe trop moulante.

Qu'allait-il penser ?

Il plongea ses yeux dans ceux de la jeune femme, d'un air sérieux et un peu désemparé aussi.

Elle esquissa un timide sourire auquel il dédaigna de répondre.

Pourquoi la regardait-il avec tant de sévérité ?

— Bonsoir, Rachel, dit-il seulement avant de s'éloigner en direction des jeunes éleveurs accoudés au bar.

Il ne pouvait pas lui faire une chose pareille ! La laisser tomber de cette façon. Pas lui !

— Steve, lança-t-il, tu as oublié tes bonnes manières ?

— Qu'est-ce que tu veux dire ?

— Tu n'invites pas la dame à danser ?

Il y eut un silence de mort. Rachel se sentait trembler de tous ses membres. Comment Gabe, qui s'était toujours montré très prévenant, pouvait-il se comporter d'une façon si grossière ? Et juste au moment où elle aurait eu besoin de lui !

Il continuait à fixer Steve froidement, comme pour lui faire comprendre qu'il s'agissait bien d'un ordre et pas d'une plaisanterie. Le jeune homme finit par poser son verre.

— Ça te dirait ? lança-t-il à Rachel en désignant du menton la piste de danse.

C'était bien la dernière chose dont elle avait envie. Pas sous tous ces regards narquois. Pas maintenant qu'elle sentait presque ses genoux se dérober sous elle. Mais plutôt mourir que de renoncer devant Gabe !

— Merci, Steve, acquiesça-t-elle en souriant avant de poser son sac sur le bar et de se diriger vers la piste.

Bien que Steve fût un piètre cavalier, ils dansèrent quelque temps en silence.

— Y en a, du monde, finit-il par lancer après avoir écrasé les orteils de Rachel à trois reprises.

— C'est vrai, quelle réussite !

— Où as-tu appris à danser ?

— En pension.

Ils firent encore une tentative pour évoluer sur la piste sans obtenir plus de succès.

— Dis donc, Steve, s'enquit la jeune femme, tu trouves que je suis trop maquillée ?

— Pas du tout. Tu es parfaite.

— Alors, que s'est-il passé avec les autres ? Pourquoi se sont-ils comportés comme si j'étais atteinte d'une maladie contagieuse ?

— C'est seulement qu'on ne t'avait jamais vue en robe, répondit-il. Alors, on a eu un choc. Mais, honnêtement, tu es parfaite ! Magnifique !

— Merci, mais je ne savais pas qu'il suffisait qu'on porte une robe pour que les hommes aient le regard rivé à votre décolleté !

Le visage de Steve vira au rouge brique.

Quelle erreur de croire qu'elle allait trouver un mari parmi eux ! Ce n'était pas en jouant les Cendrillon, avec sa belle robe et son chignon, qu'elle les transformerait en princes charmants ! D'ailleurs, elle les connaissait depuis toujours sans avoir jamais éprouvé la moindre attirance pour aucun d'eux. A quinze ans, elle avait réussi à éviter leurs baisers maladroits. Ils ne l'intéressaient pas davantage maintenant, c'était clair.

Par-dessus l'épaule de Steve, elle jeta un coup d'œil en direction du reste de la salle. Cette soirée était en train de tourner au désastre. Et pas la moindre copine avec qui bavarder ! La plupart des filles du pays s'étaient mariées à peine sorties de l'adolescence et elle les avait perdues de vue.

Quant aux jeunes célibataires, elle ne les connaissait pas. C'étaient en général des filles de la ville, institutrices, infirmières et fonctionnaires, venues accomplir leur service civil à Mullinjim ou dans d'autres localités de la vallée. Rien de ce qui concernait la mode et le maquillage ne leur était étranger.

Ce n'est pas elles qui auraient fait appel aux services d'April. Elles respiraient l'élégance et la confiance en elles. D'ailleurs, aucune n'était venue sans cavalier.

Il lui faudrait donc se contenter de ses compagnons de toujours, les types du bar. Impossible.

Restait Gabe.

Après avoir enjoint à Steve de l'accompagner sur la piste, celui-ci s'était tranquillement installé à la table du directeur de l'hôpital et de sa femme, où il conversait, un verre à la main. Décidément, le bal de Printemps de Mullinjim était un piètre terrain de chasse.

Quand la musique s'arrêta, elle sentit que Steve était aussi soulagé qu'elle.

— Merci, murmura-t-elle. C'était très agréable.

Il était sur le point de s'éclipser lorsqu'il se ravisa soudain :

— Tu veux boire quelque chose ?

Un retour au bar entraînerait fatalement la sensation qu'une douzaine d'yeux étaient à nouveau arrimés à sa poitrine.

— Non, merci. Mais va rejoindre les autres. Si tu pouvais seulement me rapporter mon sac. J'ai envie d'un peu d'air frais.

Dès que Steve se fut acquitté de cette tâche, elle s'empressa de sortir. Elle se serait bien laissée aller dans les vieux fauteuils de bois qui lui tendaient les bras, mais elle avait trop peur de froisser sa robe. Elle se contenta donc de rester debout, respirant longuement l'air de la nuit chargé d'un doux parfum de glycine, sans ressentir la moindre envie de regagner la salle. Entre le bruit de l'orchestre, les lumières et la tension nerveuse, la migraine commençait déjà à lui battre les tempes.

Elle se dirigea vers le parking tout en sachant qu'elle ne pouvait pas rentrer si tôt à la maison. Pourquoi ne pas rendre visite à Nelly Davies, une vieille amie de son grand-père qui vivait justement là, près de la poste ? Nelly lui offrirait une tasse de thé qui calmerait son mal de tête et elle pourrait peut-être lui raconter cette abominable soirée.

Du coin de l'œil, Gabe entrevit une silhouette claire qui se glissait à l'extérieur de la salle.

— Excusez-moi, dit-il au docteur Springer et à sa femme. J'ai vu passer quelqu'un à qui je dois dire un mot avant qu'elle… enfin, avant qu'il s'en aille.

Jim Springer, qui n'avait rien perdu du manège de Gabe, sourit d'un air entendu.

— Dépêchez-vous, mon vieux, j'ai l'impression qu'elle… pardon… qu'il avait l'air pressé.

Dehors, il eut tôt fait de repérer la silhouette claire qui s'éloignait sur le parking. Il appela Rachel à mi-voix.

Quand elle l'entendit, son cœur bondit dans sa poitrine. L'idiot ! Que lui prenait-il de venir lui courir après, maintenant ?

— Où t'en vas-tu ? demanda-t-il.

Il avait l'impression de faire une folie.

— Ça ne te regarde en rien, rétorqua-t-elle en relevant le menton.

Il dut reconnaître qu'elle n'avait pas tort et faillit la laisser s'éloigner vers son 4x4. Mais, avant qu'elle l'ait atteint, il se précipita pour l'agripper par l'épaule. Elle se raidit et, quand leurs yeux se croisèrent, elle le défia du regard.

Il la trouva adorable. Ce n'était plus la sauvageonne qui lui avait demandé de l'aider quelques jours plus tôt. Elle avait parfaitement tenu compte de ses conseils, même si elle avait préféré relever ses cheveux plutôt que de les détacher. Cette nouvelle coiffure soulignait délicieusement la ligne gracieuse de son cou délicat.

50

Ses épaules aussi étaient adorables. Tout comme ses bras. Quant à ses lèvres brillantes, elles paraissaient plus pleines, plus prometteuses.

— Laisse-moi, Gabe.

— Pourquoi t'enfuir ainsi ? murmura-t-il en reculant d'un pas. Tu viens juste d'arriver et la soirée ne fait que commencer. Et ce futur mari ?

— Je ne le trouverai pas ici. Ce bal n'est qu'une perte de temps.

— Tu en es bien sûre ?

— Mais oui ! Comment supporter cette bande d'abrutis qui me regardent comme si je venais de changer de sexe ?

Il ne put s'empêcher de sourire mais Rachel semblait avoir perdu tout sens de l'humour.

— Tu peux rire, Gabe. Tu m'as fait aussi honte qu'eux ! Tu as perdu la tête en leur ordonnant de m'inviter à danser ! Tu te crois encore à l'armée, peut-être ?

— Tu exagères. Il faut bien que quelqu'un leur apprenne les bonnes manières, à ces rustauds. Ecoute, tu dois rester.

— Comment ça, « tu dois » ? Tu me donnes des ordres encore une fois ?

— Mais non ! Simplement, tu ne peux pas gâcher tous les efforts que tu as faits.

Il aurait voulu résister. Pourtant, il ne put s'empêcher d'effleurer du bout des doigts le tissu léger de sa robe.

— Tu es si belle, reprit-il.

— Belle ? murmura-t-elle en écho, d'une voix frémissante.

Il s'approcha à nouveau et lui prit doucement le bras, sans qu'elle le repousse, cette fois.

—Ta métamorphose leur a fait un drôle de choc, à tous.

— Et alors ? lança-t-elle en détournant la tête.

— Il aurait fallu leur donner un peu plus de temps. Laisse-les au moins reprendre leurs esprits, accorde-leur quelques danses et ils se battront pour te raccompagner chez toi.

— Peut-être, mais figure-toi qu'il y a un problème, dit-elle en haussant les épaules.

— Lequel ?

— Justement, je n'ai envie de rentrer avec aucun d'entre eux.

Bizarrement, cette réponse provoqua dans le cœur de Gabe comme une onde de satisfaction. Réaction aussi stupide que déraisonnable dont il valait mieux ne tenir aucun compte.

— Alors que tu t'es donné tout ce mal, tu ne vas même pas leur laisser une chance ?

— J'ai vingt-trois ans, Gabe. Je les connais depuis que j'en ai cinq ou six. Je ne vois pas comment leur donner une chance supplémentaire.

Elle lui fit face, le regard plein de défi.

— Il y a une chose au moins que j'ai apprise cette nuit, dit-elle, les doigts crispés sur son petit sac. Mon mari, je ne le trouverai pas ici. Il faut que je cherche ailleurs.

— Tu veux dire, en ville ? demanda-t-il après un long silence. Tu veux partir ?

— Comment le pourrais-je ? N'oublie pas que grand-père est malade. Non, il va falloir que je …

Mais avant qu'elle ait pu terminer, une voiture entra dans le parking et vint s'arrêter à leur hauteur.

— Salut, Gabe.

C'était un voisin, Joe Hutchins, qui passa la tête par la portière pour mieux examiner la jeune femme.

— Mais c'est Rachel !

— Bonsoir, Joe.

— Wouah ! Je ne t'avais pas reconnue. Dites donc, je ne voudrais pas vous alarmer, mais je viens de croiser une bétaillère

52

avec deux motos à l'arrière. Elle a pris la route de Sandy Creek. Comme si elle se dirigeait vers Windaroo.

— Mon Dieu ! Ce sont sûrement les voleurs, s'écria Rachel en jetant un coup d'œil au ciel. Avec la nouvelle lune, la nuit est si sombre !

— Naturellement, remarqua Joe, ils profitent du fait que tout le monde est ici à prendre un peu de bon temps !

— Y compris la police locale, remarqua Gabe en regardant du côté du bal. Merci de nous avoir avertis, Joe. Je vais en toucher un mot aux copains, mais je doute qu'ils veuillent nous aider ce soir. D'autant qu'il ne s'agit que de soupçons, pas de certitudes.

Tandis que Gabe se dirigeait vers la salle, Rachel releva sa robe pour mieux courir jusqu'au 4x4. Il n'y avait pas une minute à perdre. Gabe avait raison : les policiers ne seraient sûrement pas ravis d'être arrachés à la fête.

Car la plupart des hommes avaient déjà bu trop de bière pour se montrer vraiment efficaces. Si elle leur parlait des voleurs, ils lui offriraient sans doute leurs services mais la dernière chose qu'elle souhaitait, c'était bien de se retrouver entourée d'une bande d'ivrognes vacillant bruyamment dans les taillis.

Alors, si elle voulait vraiment voir la tête de ces bandits, mieux valait gagner Sandy Creek seule, par ses propres moyens. Bien sûr, s'ils avaient jeté leur dévolu sur Windaroo, c'est qu'ils étaient sûrs de n'y trouver qu'un vieillard malade et une jeune femme. Eh bien, ils allaient voir ce qu'ils allaient voir !

Comme une robe de bal était loin de représenter la tenue idéale pour une telle expédition, elle décida d'enfiler de vieux vêtements de travail qu'elle gardait en permanence dans le 4x4, le problème étant de savoir *où* elle allait pouvoir se changer.

Elle renonça à revenir dans le bâtiment pour éviter d'avoir à fournir des explications et décida de se changer sur place, à la faveur de l'obscurité.

Avant le retour de Gabe.

Elle se débarrassa en vitesse de ses chaussures et de son fourreau blanc. Elle eut une seconde de regret lorsqu'elle sentit le tissu soyeux couler sur ses pieds nus. Mais l'heure n'était pas aux tergiversations. Elle jeta sa robe sur le siège du passager en se disant qu'il serait bien temps de la plier plus tard.

Et maintenant, où était son jean ?

Il n'était pas évident de le repérer dans l'obscurité. A l'arrière du vieux 4x4 s'entassait pêle-mêle tout un fourbi de vieux chiffons, de fil de fer, d'outils et de pièces de rechange. Les vêtements devaient se trouver par là. Au départ, ils étaient rangés dans un carton mais, à force d'être brinquebalés sur toutes les pistes du bush pendant des semaines, ils avaient dû s'en échapper.

A la fin pourtant, elle sentit le jean sous ses doigts et s'en empara en remerciant le ciel.

— Que diable es-tu en train de faire ?

La voix de Gabe lui sembla surgir de nulle part.

5.

— Et toi ? lança Rachel tout en essayant désespérément d'enfiler son jean au plus vite.

Comment avait-elle pu ne pas l'entendre arriver ?

— C'est moi qui ai posé la question le premier.

Il se tenait debout tout près du 4x4 et, à la faible lueur d'un rayon de lune, elle devina qu'il souriait.

— Retourne-toi, chuchota-t-elle tout en se hâtant de boutonner son pantalon. Où as-tu été élevé ?

— Je ne t'ai même pas vue… ou presque… D'ailleurs, tu n'as rien à cacher, à mon humble avis !

— Espèce d'abruti !

Ce type était supposé être un gentleman alors qu'il lui laissait entendre qu'il l'avait vue presque nue… Elle maudit April de lui avoir conseillé cette lingerie suggestive, plus légère qu'un souffle sous sa robe ajustée. Mieux valait ne pas imaginer le spectacle qu'elle devait offrir.

Où pouvait bien être passée cette fichue chemise ? se dit-elle en explorant frénétiquement l'arrière du véhicule. Et quelle idée l'avait prise de se déshabiller *avant* d'avoir trouvé de quoi se changer ?

— Gabe, déclara-t-elle d'une voix pincée après de douloureuses minutes de recherche inutile. Pourrais-tu te retourner et regarder de ton côté si tu vois mon chemisier ?

— A vos ordres, princesse.

Il se tourna vers elle, un demi-sourire aux lèvres.

— Est-ce bien ce que tu cherches ? s'enquit-il en brandissant une chemise bleue et blanche au-dessus de sa tête comme un drapeau.

— Lance-la-moi.

— Viens plutôt la chercher

— Je n'ai pas le cœur à plaisanter, s'écria-t-elle, en croisant les bras sur sa poitrine.

— Oh, la vilaine rabat-joie ! lança-t-il en soupirant ostensiblement mais en lui envoyant sa chemise.

Elle l'attrapa au vol avant de l'enfiler prestement. Puis elle ouvrit la portière du conducteur et se glissa sur le siège. Avant qu'elle ait eu le temps de refermer la porte, il avait surgi, une paire de bottes à la main.

— Tu oublies ça, Cendrillon !

— Merci.

— Et maintenant, peut-être pourrais-tu répondre à ma question, dit-il en maintenant fermement la porte ouverte. Que vas-tu faire ?

— Foncer vers Sandy Creek, évidemment.

— Pas question que tu y ailles seule. Je t'accompagne.

Elle voulut protester mais la voix de la raison lui chuchota qu'elle allait avoir besoin d'aide. D'ailleurs, Gabe n'avait pas attendu sa réponse. Avant qu'elle ait fini d'enfiler ses bottes, il ouvrait déjà la portière du passager.

La robe gisait toujours en tas sur le siège, pâle et légère comme un rayon de lune.

— Ne l'écrase pas ! s'écria-t-elle.

— N'aie pas peur, dit-il avant de plier le vêtement avec une habileté qui la surprit et de le déposer délicatement sur ses genoux.

Elle frissonna en le voyant manipuler l'étoffe soyeuse qui tranchait sur le noir de son smoking. Comme le voile d'une mariée sur l'habit de son jeune époux. Que lui arrivait-il ? Lui suffisait-il de se laisser surprendre en tenue légère pour que son imagination prenne le galop ?

Une vague de remords la submergea. Comment pouvait-elle avoir ces pensées-là à un pareil moment ? Elle se sentait furieuse contre elle-même. Et surtout contre Gabe. Malgré tous ses efforts, cette soirée était un fiasco complet. Cette robe hors de prix, le coiffeur et l'esthéticienne, tous ces efforts pour rien ! De plus, en jouant les adjudants, Gabe n'avait fait qu'aggraver les choses. Puis, sur le parking, il s'était comporté en mufle ! Et, pour couronner le tout, les voleurs ! Ah, les hommes ! Tout le problème était là. Pourquoi fallait-il qu'elle se marie ?

Elle avait à peine tourné la clé que le 4x4 eut un sursaut rageur avant de caler. Naturellement, elle avait oublié de remettre le levier au point mort. Précisément le genre d'étourderie qui ne lui arrivait jamais depuis des siècles qu'elle conduisait.

Elle jeta un regard de côté, espérant que son compagnon aurait le bon goût de se taire. Hélas !

— Inutile de tant te presser.

Dédaignant de répondre, elle sortit du parking dans un crissement de gravier.

— Je suppose que tu es consciente de ce que tu risques en te lançant après ces malfrats, reprit-il.

— Je protège mon bétail, voilà tout.

— Compte tenu des cours actuels de la viande et des peines encourues, ils préféreront te tirer dessus plutôt que d'aller en prison.

Rachel se contenta de hausser les épaules.

— Il vaudrait mieux nous contenter de regarder de quoi ils ont l'air, reprit Gabe. Ou de relever leur numéro d'immatriculation.

Après, on pourra toujours renseigner la police et la laisser se débrouiller avec eux.

Elle poussa un soupir excédé. Gabe était bien gentil de lui faire la leçon, mais la spécialiste en matière de bétail, c'était elle.

— Je veux les prendre sur le fait, lança-t-elle rageusement.

— Mais ils sont peut-être deux ou trois. Et armés.

— On peut les surprendre, non ?

— Comme dans un western ? Pendant que tu feras diversion, j'assommerai le chef d'un seul coup de poing ?

— Pourquoi pas ? Ensuite, les deux autres se rueront sur toi, mais tu n'en feras qu'une bouchée tandis que je préparerai les cordes pour les ligoter.

— Un projet sans doute un peu ambitieux à réaliser pour une gamine et un éclopé.

Elle aurait voulu lui sourire mais elle craignit qu'il n'en profite pour essayer de reprendre le contrôle de la situation, ce qu'elle désirait éviter à tout prix. Elle lui en voulait trop encore !

Sa colère ne s'était toujours pas calmée lorsqu'ils atteignirent la route de Sandy Creek, une piste défoncée par les ornières.

— Ralentis, Rachel.

— Mais je ne fonce pas.

Soudain, les phares d'un véhicule roulant en sens inverse apparurent au loin à travers les arbres et Gabe ne put retenir un cri d'impatience.

— Regarde ces feux, s'exclama-t-il. On dirait bien un camion. Peut-être celui des voleurs.

— S'ils ont déjà chargé le bétail, ce sont des rapides.

— Ils ont de l'expérience. Ils sont sans doute en train de repartir après avoir fait leur coup.

— Quoi qu'il en soit, ils tiennent le milieu de la route, remarqua Rachel en collant son visage au pare-brise poussiéreux. Et comme je conduis pleins phares, ils nous ont sans doute déjà repérés.

Gabe se pencha vers elle pour lire le compteur de vitesse.

— Ralentis ! Ils viennent droit sur nous.

— S'ils emmènent du bétail de Windaroo, je ne les laisserai pas passer !

— Tu es folle ! s'exclama Gabe, dont le cœur s'était mis à battre à se rompre.

La sueur ruisselait le long de son dos tandis qu'il revivait une fois de plus son propre accident. L'horreur du bruit de carrosserie froissée… sa voiture qui se désintégrait autour de lui… Puis un grand silence, l'ombre de la mort qui planait sur son corps mutilé.

— On va les coincer, s'écria Rachel. Jamais je ne les laisserai filer.

— Tu perds la tête ! hurla-t-il en essayant de chasser ses vieux démons.

Il imaginait déjà le 4x4 balancé sur le côté par l'énorme camion… Rachel blessée, pleine de sang…

— Ils accélèrent et ils sont trois fois plus lourds que nous… poursuivit-il en hurlant. Ralentis ! Ecarte-toi !

En rugissant, le camion fit une embardée sur le bas-côté avant de croiser le 4x4 tandis que les quatre projecteurs qu'il portait éclairaient un court moment l'habitacle, aveuglant Gabe.

En entendant le hurlement de Rachel, celui-ci s'était emparé du volant qu'il tourna violemment vers la gauche. Le véhicule dérapa dangereusement avant de s'immobiliser dans les broussailles du talus, écrasant au passage un arbuste.

Derrière eux, le camion poursuivait sa route. Dans le rétroviseur, Gabe eut une brève vision de l'arrière chargé de bétail, un peu flou mais absolument identifiable. Au même moment, devant eux, il entendit une déflagration, puis un nuage de vapeur s'éleva du capot : le radiateur avait explosé.

Gabe s'effondra en arrière sur son siège, tremblant de tous ses membres, l'estomac noué. Comment Rachel avait-elle pu se laisser aller à une telle folie ?

— Tout va bien ? s'enquit-il sans ouvrir les yeux.

Il sentit la main de la jeune femme se poser sur la sienne qu'il avait gardée crispée sur le volant.

— Comment veux-tu que tout aille bien alors qu'ils sont en train de filer avec notre bétail ?

Il se sentait épuisé, diminué… Et la colère de Rachel lui semblait si naïve ! Réagissait-il ainsi, lui aussi, autrefois ?

Sans doute… Il y avait des siècles… En s'engageant dans l'armée, il avait désespérément voulu prouver son courage, son audace. Pendant des années, la perspective du danger, loin de le calmer, l'avait au contraire excité. Mais, depuis son accident, il avait perdu ce goût du risque. Maintenant, il se sentait bien différent du jeune homme qui voulait prendre le monde à la gorge.

Il ouvrit les yeux en se demandant s'il pourrait supporter l'hostilité si prévisible de la jeune femme.

— Ils ne m'auraient pas foncé dedans, assura-t-elle. Je les aurais éjectés de la route. Pourquoi faut-il toujours que ce soient les femmes qui cèdent ?

— Tu n'as pas cédé. C'est moi qui ai tourné le volant. Il s'agit de bétail, Rachel. Seulement de bétail.

— Oui, mais du bétail de Windaroo ! Du bétail d'un vieil homme malade. Chaque tête vaut des centaines de dollars !

— Réfléchis un peu, dit-il sans pouvoir maîtriser la colère qui faisait trembler sa voix. Aucun bétail, aucune somme d'argent ne vaut la peine de risquer sa vie…

Il sentit que ses paroles avaient fait mouche. Les épaules de la jeune femme s'affaissèrent tandis que sa bouche s'ouvrait doucement. Mais aucun son n'en sortit.

— N'oublie pas, ajouta-t-il, que j'ai survécu à un accident. J'ai eu les deux mains et une épaule brisées. Aujourd'hui, dans ma jambe droite, il y a au moins autant de métal que dans la suspension de ce 4x4.

Remarquant dans les yeux de Rachel une lueur plus brillante que les diamants de ses oreilles, il comprit qu'elle était au bord des larmes et détourna la tête.

— Oh ! Gabe ! chuchota-t-elle en lui caressant la joue d'une main tremblante. Pardonne-moi, je t'en prie…

Il lui fit face, la gorge serrée.

— Je me suis comportée d'une manière si égoïste ! Comment pourras-tu oublier ce que je t'ai fait ?

— Ça va, ça va, ne pleure plus, Rachel.

Elle enfouit son visage dans ses mains frémissantes. Il voulait l'attirer contre lui, plonger son regard dans ces yeux si bleus, étreindre ce corps adorable. En baissant la tête, il aperçut la robe blanche toujours posée sur ses genoux, et ne put écarter la vision de la jeune femme, remontant son jean en toute hâte non sans révéler ses courbes voluptueuses. Une pure folie !

— J'espère seulement que tu as compris que nous ne sommes pas là pour jouer les héros.

— Bien sûr. Je me suis laissé emporter. Et puis j'en avais assez de t'obéir comme un petit soldat. Excuse-moi, mais j'avais complètement oublié ton accident.

— Pensons plutôt maintenant à la façon dont nous allons nous en sortir.

Mais Rachel ne semblait pas prête à changer de sujet.

— Si tu ne m'as pas invitée à danser, c'est pour cette raison, n'est-ce pas ? lança-t-elle en tripotant nerveusement une de ses boucles d'oreilles. A cause de ta jambe ?

Gabe baissa la tête, cherchant désespérément une réponse. Quand il était entré dans la salle et qu'il avait aperçu Rachel,

il s'était senti aussi impressionné que la bande de gamins hyp-
notisés autour du bar.

— Quelle question idiote ! Pourquoi t'aurais-je invitée puisque
c'est un mari que tu cherches ?

— Tu as raison, mieux vaut réfléchir à la situation présente,
s'exclama-t-elle en se raidissant.

— Nous n'avons plus qu'à appeler la patrouille. J'ai mon
portable.

Malheureusement, sa tentative se révéla vaine. Sur cette
petite route encaissée entre deux collines, le réseau ne fonc-
tionnait pas.

— Je connais l'endroit. Il faudrait monter sur la crête pour
capter quelque chose, dit-elle en pointant le doigt vers la droite.
J'ai une lampe torche dans la boîte à gants. Je vais grimper là-haut
et appeler grand-père pour lui raconter ce qui s'est passé. Sinon,
il risque de se faire du souci s'il ne m'entend pas rentrer.

— D'accord. Allons-y.

— Tu ferais mieux de m'attendre ici, Gabe. Je crains que ce
ne soit un peu raide pour ta jambe. D'ailleurs, je sais parfaitement quoi dire à la police.

— Ce n'est pas cette petite montée qui va m'arrêter, lança-
t-il entre ses dents.

Avant qu'elle ait eu le temps de protester, il avait bondi hors
du 4x4 et claqué la portière.

6.

Elle se trouvait dans une position bizarre.

Au-dessus d'elle, elle apercevait le pare-brise du 4x4 et, derrière, les silhouettes efflanquées de gommiers qui se détachaient sur le ciel parsemé d'étoiles. Sa joue reposait sur quelque chose de doux, de soyeux… Sa robe blanche.

Horreur ! Sous la robe, elle venait d'identifier une cuisse ferme et indéniablement masculine. Elle était recroquevillée sur son siège, la tête sur les genoux de Gabe dont la main lui effleurait la joue.

Il sentit qu'elle se réveillait et lui jeta un regard plein de tendresse.

— Tu ne dors plus, murmura-t-il.

Brusquement, tout lui revint : l'ascension de la colline, le coup de fil à grand-père et à la police, la descente à travers les broussailles. Et puis, ils étaient restés à discuter dans le 4x4. Mais elle ne se souvenait plus de quoi : elle avait tellement sommeil.

— J'ai dormi longtemps ?

— Une petite heure, répondit-il en remuant imperceptiblement, ce qui la fit frissonner.

— T'en fais pas, ajouta-t-il. Tu as ronflé très poliment.

Cela suffit à rompre le charme. Elle se redressa, embarrassée et s'assit derrière le volant.

— Pourquoi ne m'as-tu pas réveillée ?

— Tu étais fatiguée. Ma compagnie manque sûrement d'intérêt.

— Quelle heure est-il ?

— Un peu plus d'une heure.

— Aucun signe de la patrouille ?

— Pas encore.

Le silence qui suivit parut tellement pesant à Rachel qu'elle regretta presque de s'être réveillée.

— Qu'est-ce que c'est ? s'exclama-t-il soudain en brandissant un chiffon blanc.

Par contraste avec le mince tissu soyeux, ses mains parurent à Rachel extraordinairement fortes et viriles.

— Ma robe de soie.

— Elle a gardé ton parfum, chuchota-t-il en portant l'étoffe à son visage. Ça sent bon.

— Alors, j'ai passé le test ?

— Le test ? Quel test ?

— Tu sais bien. Tu m'avais dit que le parfum d'une femme devait être léger et souligner simplement sa féminité.

— Ah ! Ce test-là. Bien sûr.

— Il m'a coûté quatre-vingts dollars et grand-père trouve qu'il sent aussi bon que du pain frais.

— Eh bien, il a raison ! Tu en as eu pour ton argent. Très féminin. Frais, fleuri…

Un bruit de moteur l'interrompit soudain et une lueur illumina le 4x4. Au fond, Rachel n'était pas si ravie de voir approcher les secours mais elle sortit à la hâte du véhicule, suivie de Gabe. La tête penchée à la portière, Norm Harper les regardait avec une expression entendue qui la fit rougir dans l'ombre. Elle passa une main dans ses cheveux qui n'avaient plus rien de la coiffure sophistiquée élaborée par April.

Qu'allait penser Norm ? Faux cils, maquillage et boucles d'oreilles s'accordaient mal avec son vieux T-shirt et son jean délavé. Et, pour compléter le tableau, ses joues en feu…

Elle s'éclaircit la gorge.

— Salut, Norm. C'est sympa de vous déplacer à une heure pareille.

— C'est mon boulot, n'est-ce pas ?

— Oui. Enfin, c'est bien dommage que vous n'ayez pas été avec nous tout à l'heure. Au fait, vous avez pu arrêter la bétaillère ?

— Oui. Elle était vide.

— Comment, vide ? J'ai vu le bétail de mes propres yeux à l'arrière… Bien sûr, avec ces fichus projecteurs qui m'éblouissaient, je ne pourrais pas le jurer. Mais je suis pratiquement sûre qu'ils en transportaient quand ils nous ont croisés.

— Ils ont dû le décharger entre-temps, intervint Gabe.

— Peut-être ont-ils pris peur en vous voyant et ont-ils vidé le camion avant que je ne les intercepte, admit Norm.

— Vous avez leurs noms ?

— Karl Findley et deux de ses employés. Il possède une propriété appelée Red Ridge.

— Je connais l'endroit, au fin fond de la vallée, dit Rachel. Des terres plutôt arides… Ça ne m'étonnerait pas qu'il cherche à se renflouer en volant du bétail nourri sur de bons pâturages.

— En tout cas, il m'a affirmé qu'il utilise souvent cette route comme raccourci.

— Allons donc ! Je suis sûre qu'en remontant cette piste je trouverais du bétail portant la marque de Windaroo.

— C'est probable, répondit Norm en soupirant. Et c'est terriblement frustrant. Mais ne vous en faites pas. Je vais garder un œil sur eux désormais. Au fait, vous voulez que je vous ramène chez vous ou vous vous trouvez bien ici, tous les deux ?

— On arrive, répondit Rachel, furieuse, en s'installant sur le siège arrière du véhicule de police. Dépêche-toi, Gabe !

Avant de monter, il retourna cependant jusqu'au 4x4 et revint en brandissant la robe blanche. Rachel jeta un regard embarrassé au policier tout en rougissant comme une pivoine.

— Il a bien fallu que je me change… Avec cette robe, dans les broussailles, ça n'aurait pas été pratique.

— C'est votre affaire, ma petite Rachel, répondit Norm avec un gros rire tout en démarrant. En tout cas, moi, je rentre me coucher.

Le soleil se couchait déjà lorsque Rachel et Gabe eurent fini de rassembler le bétail épars et de le parquer dans un enclos.

— Cinquante têtes de sauvées, s'exclama la jeune femme d'une voix triomphante lorsqu'elle arriva enfin à Windaroo.

Pourtant, la réaction de son grand-père vint tempérer son enthousiasme.

— Il y a quelque chose qui te tracasse, n'est-ce pas ? lui demanda-t-elle.

— Tu as bien dit que le nom du conducteur de la bétaillère était Karl Findley ?

— Oui, le propriétaire de Red Ridge. C'est un ami ?

— Non. Mais l'agent immobilier qui est venu la semaine dernière l'a mentionné comme acheteur potentiel de Windaroo.

— Tu ne songes pas à vendre à cet individu, j'espère ! s'écria Rachel, écœurée.

— Non, bien sûr, répondit Michael avec un soupir. Enfin, si seulement j'étais plus en forme… Mais, ces temps-ci, je me sens vraiment au bout du rouleau, complètement inutile…

Il y avait tant d'amertume dans sa voix que Rachel se précipita vers lui. Elle s'assit sur le bras du fauteuil, le serra contre elle

66

et embrassa sa joue ridée en essayant d'oublier à quel point il lui semblait fragile.

— Je t'adore. Tu es le meilleur des grands-pères.

— Merci, ma chérie. Tu sais, la vie m'a gâté. J'ai dû travailler dur, mais j'ai eu de bons moments. Et beaucoup d'affection, dit-il en lui étreignant le bras.

Elle posa sa joue contre la douce chevelure grise du vieil homme.

— Justement, aujourd'hui, je me rappelais comme c'était super quand nous partions tous les quatre rassembler le bétail, avec Roy et Gabe.

— Oui, dit-il en riant. Tu n'as pas oublié le jour où tu as mis un serpent mort dans le sac de Gabe ?

— Non ! Il a fait un tel bond en arrière qu'il a perdu l'équilibre et qu'il est tombé dans l'eau. Mais avec le temps, ajouta-t-elle avec une petite grimace, j'ai compris qu'il le faisait exprès.

Michael hocha la tête en la regardant curieusement.

— En tout cas, reprit-elle, il m'a traitée de tous les noms !

— Pas du tout, il t'a toujours donné des surnoms très mignons, comme petit wallaby ou opossum…

— Ou petite peste, coupa-t-elle. Et quand il avait vraiment envie de m'insulter, il me traitait de fifille.

« Ou de rayon de lune », murmura sa voix intérieure.

Mais ça ne voulait rien dire. Absolument rien.

Tout à l'heure, sur le chemin du retour, Gabe lui avait semblé très renfermé, presque distant et il s'était hâté de regagner Edenvale sans même prendre la peine de s'arrêter à Windaroo.

— En fait, poursuivit-elle, il a besoin qu'on le remette à sa place, parfois. Comme avec le coup du serpent.

De nouveau, son grand-père lui jeta un étrange regard.

— Tu ne m'as rien raconté du bal d'hier.

Elle se raidit : elle avait espéré qu'il n'aborderait pas le sujet.

— C'était vraiment sympa, déclara-t-elle en se forçant à sourire.

— Tu as beaucoup dansé ?

— Autant que j'en avais envie.

— Et Gabe a fini par venir, en définitive ?

— Oui, et c'est là qu'on a appris l'histoire du camion…

— Tu n'aurais pas dû partir pour ça.

— Aucune importance, dit-elle en se relevant.

Décidément, grand-père ne pouvait s'empêcher de mentionner Gabe. Et, chaque fois, elle sentait son cœur battre et son estomac se nouer. Elle bâilla ostensiblement.

— La nuit dernière a été longue et fatigante. Et aujourd'hui, nous avons travaillé dur. Je vais manger en vitesse et me coucher de bonne heure.

— C'est vrai. Tu dois être complètement crevée.

— Des haricots sur toast et du thé, ça te va ?

— Ce sera parfait, ma chérie.

Gabe se sentait mal à l'aise.

Il avait passé la soirée à errer au bord des étangs d'Edenvale tandis que toute sa famille regardait tranquillement la télé au salon. Il se sentait si agité qu'il avait failli demander un paquet de cigarettes à Jonno. Mais cela faisait plusieurs années qu'il avait arrêté de fumer et il ne tenait pas à s'y remettre.

En donnant un coup de pied dans une motte, il envoya une gerbe de graviers dans un étang. A ce bruit, une compagnie de canards s'envola dans un bruissement d'ailes, faisant frémir doucement la surface argentée où se reflétait la lune.

Il enfouit profondément les mains dans ses poches tout en contemplant ce spectacle. Un peu plus loin, un groupe de chauves-souris se chamaillait à grands cris dans un gommier en fleur.

En les entendant, il se surprit à sourire. Jamais il n'aurait cru qu'une simple promenade pourrait réussir à l'apaiser. Aujourd'hui, il était remonté sur un cheval pour la première fois depuis son accident, en compagnie de Rachel. Malgré le manque de sommeil, la sérénité de la nature régénérait en lui des forces vives. En observant la dignité muette du bétail qu'il faisait trotter devant lui, il s'était senti pour la première fois capable d'accepter son sort.

Cette nuit, tandis qu'il contemplait les enclos où respiraient doucement les bêtes endormies et les kangourous qui erraient sans bruit au milieu d'elles, il comprenait qu'un changement profond s'était opéré en lui.

En douceur, presque malgré lui, comme s'il ne voyait plus le bush avec les mêmes yeux... Ces plaines étendues à l'infini, cette végétation familière, tout ce qu'il avait naguère rejeté avec dégoût dans son irrésistible désir de voyager et de conquérir le ciel, tout cela semblait l'apaiser, maintenant.

Pourtant, l'essentiel n'était pas là.

C'était Rachel qui le troublait profondément.

Il la voyait comme il ne l'avait jamais vue. Avec des yeux neufs. Chaque fois qu'il se réveillait, elle surgissait dans ses pensées, et souvent dans ses rêves.

Certes, depuis qu'elle était tout enfant, il avait toujours eu beaucoup d'affection pour elle, sans jamais pourtant la considérer comme une femme désirable, sans jamais se demander si, oui ou non, elle était jolie. Elle était seulement Rachel. Une gentille gamine aux traits délicats et aux grands yeux bleus, au visage si expressif qu'il était possible d'y lire toutes les émotions qu'elle éprouvait.

Alors que, la nuit dernière, elle avait eu l'air d'une femme. Belle, défiant cette bande de lourdauds accoudés au bar. Et puis, quand il l'avait surprise à moitié nue sur le parking... et, plus tard, quand elle avait niché sa tête sur ses genoux...

En comprenant qu'il la désirait, il avait subi un choc : jamais, pour aucune autre femme, il n'avait éprouvé une telle attirance. Maintenant, rester auprès d'elle était presque une souffrance.

De là, son trouble.

Car, ce désir, jamais il ne pourrait le satisfaire. Elle n'avait sûrement pas encore connu d'homme et n'était pas du genre à se donner du bon temps. D'ailleurs, c'est un mari qu'elle cherchait.

Gabe, lui, n'envisageait pas le mariage. Un homme qui se marie doit avoir confiance dans le futur. Cette confiance, un camion filant à toute allure dans la nuit la lui avait pour toujours arrachée. Depuis son accident, la vie lui était apparue comme trop aléatoire. Voir plus loin que le lendemain lui semblait impossible.

En arrivant au bout de l'étang, il rebroussa chemin en soupirant. Devant lui, les lumières d'Edenvale s'éteignirent une à une. Ses parents et Jonno allaient se coucher.

Il aurait dû rester auprès d'eux, ce soir. Sans doute allaient-ils se poser des questions sur son comportement. Demain, il faudrait vraiment qu'il fasse un effort pour se montrer plus sociable.

— Gabe !

Au moment où il atteignait le haut du perron, une voix surgit de la véranda éclairée seulement par le clair de lune.

— Maman ? Mais qu'est-ce que tu fais là, assise dans le noir ?

— Je t'attendais. Assieds-toi une minute, dit-elle en tapotant le coussin rayé à côté d'elle. Ce ne sera pas long.

— Il y a quelque chose qui ne va pas ?

— C'est précisément ce que je voulais te demander, mon garçon.

— Mais tout va bien, dit-il en détournant les yeux.

70

— Non. D'ailleurs, tu viens de l'étang. Quand tu étais petit, c'est toujours là que tu te réfugiais quand quelque chose te tracassait.

Comme il ne répondait pas, elle reprit :

— Je suis si heureuse de te revoir à nouveau en pleine forme.

— Mais oui. Un vrai miraculé des jambes, lança-t-il avec plus d'amertume qu'il ne l'aurait souhaité.

— Gabe, murmura-t-elle. Tu oublies que j'étais infirmière. Je sais un certain nombre de choses sur ce type de convalescence.

— Oui ?

Malgré la répugnance de Gabe à aborder le sujet, sa curiosité l'emportait.

— Dans ce genre de cas, on accorde toujours beaucoup d'attention au physique et on se préoccupe trop peu des blessures morales, dit-elle en se penchant vers lui. Alors qu'elles sont parfois plus profondes et qu'elles mettent plus longtemps à se refermer.

Gabe ne trouva rien à répondre. Il ne pouvait nier à quel point il avait été moralement marqué par l'accident. Il se souvenait encore du moment où, à l'hôpital, il avait compris qu'il aurait beau récupérer physiquement rien ne serait plus jamais comme avant.

S'il avait été blessé au combat, il aurait bénéficié de l'aide d'une cellule d'assistance psychologique. Mais, dans ces circonstances, il n'avait trouvé personne qui comprenne ce qu'il pouvait ressentir, cette rage silencieuse qu'il avait éprouvée lorsqu'il avait dû quitter l'armée.

Il avait mis toutes ses forces à dépasser cette rancœur. Pourtant, maintenant, assis près de sa mère, il aurait voulu simplement qu'elle lui dise que tout s'arrangerait le lendemain.

— Il faut te montrer patient, Gabe. Cela risque de prendre du temps avant que tu puisses envisager l'avenir de façon plus sereine, dit-elle avant de le serrer contre elle. Tout viendra à son heure.

Lorsqu'elle relâcha son étreinte, il dut ravaler ses larmes.

— Comment va Michael Delaney ? demanda Eleanor après un long silence.

— Pas trop bien. Chaque jour, je le trouve plus fragile et plus fatigué.

— Demain, j'irai lui apporter un gâteau renversé à l'ananas. Il a toujours adoré ça. Il prétend que Rachel n'a jamais appris à le faire.

— Bonne idée.

— Et Rachel ? Comment s'en sort-elle ?

Il hésita un instant.

— Naturellement, elle est bouleversée, finit-il par répondre.

— Ce sera dur pour elle, répondit Eleanor en croisant les bras sur sa poitrine. Mais Jonno l'a aperçue au bal, hier. Il paraît qu'elle était si mignonne que tout le monde en a eu le souffle coupé.

—On ne l'avait encore jamais vue à un bal, n'est-ce pas ? questionna-t-il en se raidissant.

— Je n'en sais rien, répliqua-t-elle. De toute façon, il serait temps qu'elle vive sa vie. Quand Michael ne sera plus là, elle aura besoin d'être entourée.

Seul un grognement lui répondit.

— J'ai suggéré à Jonno de l'emmener aux courses de Wattle Park, poursuivit Eleanor. Ils organisent un pique-nique suivi d'un bal. Cela donnerait à Rachel l'occasion d'élargir son horizon et de rencontrer d'autres gens de son âge.

Gabe sentit un frisson remonter vers sa nuque.

— Malheureusement, continua sa mère, je crains qu'il ne puisse pas y aller. Empêtré comme il l'est dans son histoire avec Suzanne Heath, il n'a pas la tête à ça. Mais, après son apparition au bal de Mullinjim, Rachel ne va pas manquer de cavaliers pour l'emmener aux courses.

— Sûrement. D'ailleurs, elle cherche à se marier.

— Il serait temps, remarqua Eleanor avec un large sourire. Eh bien, ça m'a fait du bien de bavarder avec toi, mais je meurs de sommeil. Demain, je suis sûre que ton père va réclamer son petit déjeuner dès l'aube.

— Bonne nuit.

Gabe la regarda s'éloigner tout en se demandant comment ils en étaient venus à parler de Rachel et des courses et pourquoi il se sentait à nouveau si troublé. Il se leva en s'étirant et traversa la véranda pour regagner sa chambre. Comment les propos si anodins de sa mère pouvaient-ils le mettre dans un tel état ? Il était presque sûr qu'elle avait mis le sujet sur le tapis à dessein. Tout cela devenait bien compliqué. Et, brusquement, la solution s'imposa à lui dans toute sa clarté.

Il fallait que Rachel se marie. Voilà ce qui résoudrait aussi tous ses problèmes à *lui*. Une fois qu'elle appartiendrait à un autre, une fois qu'il la saurait définitivement mariée et fixée à Windaroo, il partirait, la conscience tranquille, et pourrait vivre tranquillement sa vie.

Donc, il ne lui restait plus qu'à trouver le mari idoine.

Et le plus tôt serait le mieux.

7.

Les courses de Wattle Park ! Rachel tressaillit de joie en entendant une telle proposition et en laissa tomber le paquet de pinces à linge qu'elle tenait pour se jeter au cou de Gabe.

Une chose vint pourtant tempérer son enthousiasme : l'attitude compassée de son visiteur et le regard courroucé qu'il semblait jeter au linge éclatant qu'elle était en train d'étendre.

— Ainsi, tu auras l'occasion de rencontrer des jeunes en dehors du canton de Mullinjim, déclara-t-il avec un sourire contraint. Je suis sûr que Wattle Park fourmille de partis de rêve.

Elle eut l'impression qu'on venait de lui asséner un coup entre les deux oreilles.

— Merci de m'inviter, lança-t-elle, les yeux rivés sur le sol, dès qu'elle se sentit en état de répondre. Mais c'est impossible. Je ne peux pas laisser grand-père tout seul un week-end entier.

Sans lever les yeux, elle se remit à sa tâche dans un grand envol de drap blanc et une fraîche odeur de lessive, espérant que Gabe ne comprendrait pas à quel point cette invitation ambiguë l'avait blessée.

Naturellement, elle était sans doute stupide de réagir ainsi. Ces temps-ci, elle avait bien du mal à garder le contrôle de ses émotions. Tant qu'elle restait le nez dans sa lessive, Gabe ne pouvait se douter de rien. Mais comment pouvait-il lui dire une chose pareille ? Après l'avoir regardée comme il l'avait fait, d'une manière si tendre, si suggestive…

La première fois qu'elle lui avait exposé ce projet, il lui avait démontré qu'il ne tenait pas la route. Et maintenant, il voulait jouer les entremetteurs !

Mais Gabe n'eut pas l'air de remarquer sa déception.

— Michael peut se passer de toi pour un week-end. Roy sera là et ma mère a même proposé de rester aussi avec lui.

— Ta mère ? Vraiment ? répondit-elle en baissant le drap qui la dissimulait.

— Mais oui. Elle était infirmière avant de se marier, dit-il en lui tendant une taie d'oreiller. Même si elle n'exerce plus depuis longtemps, tu aurais l'assurance de laisser Michael en de bonnes mains.

Elle fut contrariée à l'idée que Gabe et sa mère conspiraient à son insu pour lui dénicher un mari. La semaine précédente, elle en aurait sans doute été ravie. Mais maintenant, beaucoup moins. Pourquoi donc ?

Tandis que Gabe se baissait pour l'aider, elle remarqua les muscles de son dos qui jouaient souplement sous le fin coton bleu de sa chemise et ses mains fortes et bronzées qui saisissaient délicatement le linge blanc. Comment un homme pouvait-il avoir l'air si sexy en accomplissant une telle tâche ? La largeur de ses épaules, son bassin souple et étroit moulé dans un vieux jean, tout semblait ajouter à sa séduction.

Il surprit son regard en jetant un coup d'œil par-dessus son épaule et lui adressa un sourire perplexe.

— Que se passe-t-il ?

— Rien, murmura-t-elle en secouant trop violemment le drap qu'elle tenait. Ta mère est vraiment bien gentille.

— Alors, tu acceptes ?

— Impossible. Je viens juste d'installer des veaux à peine sevrés dans un enclos indépendant. Il faut s'occuper d'eux pendant deux semaines au moins.

— Mais tu ne seras absente que deux jours ! Tu n'as qu'à leur laisser un mélange de protéines et de granulés dans une auge et tout ira bien.

— Sans doute. Mais alors, jure-moi que tu ne forceras personne à me faire danser.

— Promis, dit-il en souriant. Mon comportement sera exemplaire. Alors, je file faire les réservations ?

Soudain, une rafale de vent détacha de la corde un drap qui vint se coller contre la jeune femme et l'enveloppa tout entière.

— Il faut que je réfléchisse encore, lança-t-elle en se dégageant, et que j'en parle avec grand-père.

De la fenêtre de sa cuisine, Michael Delaney observait les deux silhouettes affairées à étendre le linge. Il se retourna vers Roy qui sirotait une tasse de thé.

— Les choses prennent tournure, dit-il avec un clin d'œil malicieux.

— Vrai ? s'exclama Roy en s'approchant de la fenêtre pour contempler le spectacle.

— Ils se font des misères, expliqua Michael.

— Et tu trouves que c'est bon signe ! s'étonna Roy en se grattant le crâne.

— Parfaitement, répondit le vieil homme en revenant s'asseoir à la table où les attendaient une théière fumante et deux tasses. S'il n'y en avait qu'un de malheureux, ça n'irait pas. Mais comme ils le sont tous les deux, tout est pour le mieux.

— Je n'y comprends rien, soupira Roy avec une expression perplexe.

— Tu as déjà été amoureux ? s'enquit Michael en lui versant une autre tasse de thé bien fort.

— Je ne m'en souviens plus, répondit le vieil employé en s'asseyant à son tour et en ajoutant trois cuillerées de sucre à son breuvage. Une fois, il y a longtemps.

— Vieux démon ! Et, pendant toutes ces années, tu ne m'as rien dit !

— Un homme n'aime pas trop se vanter de ce genre d'exploit.

— Mais tu te rappelles comment ça se passe ?

Roy avala une bonne gorgée de thé avant de dédier à Michael un timide sourire.

— Je crois que, la plupart du temps, j'étais paniqué.

— Exactement ! Moi-même, je me souviens quand j'ai rencontré ma Marie, que Dieu ait son âme… Ah ! Je peux dire qu'elle m'en a fait voir ! J'avais les nerfs à vif ! Est-ce qu'elle voudra ? Est-ce qu'elle refusera ? J'aurais donné une livre de ma propre chair pour qu'elle dise oui.

— Et tu prétends que la même histoire est en train de se tramer là-bas ? demanda Roy en se tournant vers la fenêtre.

— Dans une version moderne, en quelque sorte. Sauf que, pour ces deux-là, le problème risque d'être plus difficile : ils se connaissent trop bien.

— Je n'y comprends vraiment rien !

— Mais si : quand Gabe regarde Rachel, il voit encore la petite voisine. Et, pour Rachel, Gabe est encore le grand frère qu'elle a connu toute sa vie.

— Et alors, quel est le problème ?

— Ils ont changé, depuis tout ce temps ! Mais, d'une certaine façon, ils ne s'en sont toujours pas rendu compte. Ils se voient toujours comme avant.

— Pourtant, tu prétends qu'ils sont amoureux ?

Soudain, la porte s'ouvrit et Rachel fit irruption dans la cuisine, sa bassine entre les bras, pâle, le regard étrangement absent.

— Tu veux du thé, ma chérie ? proposa Michael.

Sans l'entendre, elle traversa la pièce en direction du salon.

— Et Gabe ? Il va venir se joindre à nous ?

— Que disais-tu à propos de Gabe ? demanda-t-elle en tournant vivement la tête.

Michael jeta à son vieux complice un regard qui signifiait clairement : « Je te l'avais bien dit. »

— Gabe prendra-t-il une tasse de thé ? répéta-t-il sans se laisser démonter.

— Sûrement pas, déclara froidement Rachel avant de se précipiter vers le salon. Je ne lui en ai pas proposé et il est rentré chez lui.

— Tu crois vraiment que ces deux-là sont amoureux ? chuchota Roy, sceptique.

— Bien sûr. Et j'en suis ravi. Je mourrais heureux si j'étais convaincu que Gabe veillera sur mon petit trésor.

— Dis donc, vieux radoteur, tu es certain de ne pas prendre tes désirs pour des réalités ? Il t'a suffi de les voir se chamailler pour en déduire qu'ils étaient fous l'un de l'autre. Toi, tu en meurs d'envie, c'est évident. Mais, eux, ils n'y pensent peut-être même pas !

— Décidément, tu n'y connais rien ! s'écria Michael en se rasseyant.

Mais les paroles de Roy faisaient leur chemin dans sa tête :

— Tu crois vraiment que j'ai rêvé ? demanda-t-il anxieusement.

— Je n'en sais rien. Compte tenu de mon peu d'expérience en la matière, j'aurais sans doute mieux fait de me taire.

— Moi, je suis convaincu qu'ils sont faits l'un pour l'autre, murmura Michael pour lui-même avant de terminer sa tasse de thé. De toute façon, j'ai fait ce qu'il fallait avec mon avocat. Maintenant, il ne me reste plus qu'à prier pour que tout marche bien !

8.

Gabe n'avait pas le cœur à la fête. Le pire, c'est qu'il aurait dû être ravi. Positivement ravi. Aux anges. Son plan marchait on ne peut mieux. Rachel avait finalement accepté qu'il l'emmène à Wattle Park pour superviser la première étape de sa chasse au mari.

Maintenant, le bal battait son plein. Vêtue de la même robe que lors du bal de Mullinjim, elle avait fait grande impression dès son arrivée. Cette nuit, pourtant, elle avait préféré laisser flotter librement sur ses épaules sa chevelure couleur de blé mûr. Forte de son expérience de Mullinjim, elle affichait un large sourire et une assurance qu'elle était loin de ressentir.

Elle y réussissait parfaitement. Non seulement les jeunes loups du canton s'étaient bousculés pour la faire danser, mais depuis trois quarts d'heure, le plus charmant d'entre eux n'avait d'yeux que pour elle.

Comme par une étrange coïncidence, Charles Kilgour se trouvait être le frère d'une de ses anciennes camarades de pension. La conversation allait bon train entre eux et la situation semblait prendre une excellente tournure.

Ce brave Charles avait réellement tout pour lui : il avait dans les vingt-cinq ans, grand, blond, athlétique, les dents blanches, les ongles manucurés. Et, à voir la façon méthodique dont ses mains exploraient le ravissant dos blanc de la jeune femme tout en dansant et les sourires étincelants dont il la gratifiait, il avait l'air de la trouver tout à fait à son goût.

Le prince charmant.

Pourtant, Gabe, lui, avait beaucoup de mal à ressentir pour lui autant de sympathie. D'autant qu'en menant sa petite enquête à droite et à gauche, il s'était entendu confier que Charles était un vrai don Juan.

Gabe avait assisté à leur rencontre en fin d'après-midi. A ce moment, Rachel portait encore une robe de toile sans manches bleu pâle et des lunettes de soleil qui ajoutaient du mystère à sa séduction. En la voyant ainsi, Gabe avait époruvé un sentiment de fierté presque paternelle.

Au début, tout allait pour le mieux. A leur arrivée, ils s'étaient mêlés à un groupe de jeunes qui parlaient chevaux et bétail, comme il se doit, tout en plaisantant agréablement.

Gabe se sentait très détendu jusqu'au moment où Charles avait traversé la salle pour se diriger droit sur Rachel.

Mais la situation s'était réellement détériorée quand le groupe s'était dispersé pour aller se changer et que le jeune séducteur l'avait pris à part.

— Elle est sympa, avait-il remarqué avec un sourire entendu, en désignant Rachel partie à l'autre bout de la salle.

En guise d'assentiment, Gabe s'était contenté d'un grognement.

— Je ne voudrais pas marcher sur vos plates-bandes, avait repris le jeune homme, mais elle m'a dit que vous n'étiez pas ensemble. Un ami de la famille, rien de plus. C'est vrai ?

Malgré sa folle envie de le prendre par les oreilles pour le fourrer dans le container plein de canettes vides, Gabe avait réussi à garder son calme :

— Et alors ?

— Rien. Je tenais seulement à m'en assurer.

81

— T'assurer de quoi ? avait rétorqué Gabe, les poings serrés.

Charles avait reculé d'un pas avant de lancer sur un ton d'extrême autosatisfaction :

— Eh bien, si elle est libre, je lui ferais bien faire un petit tour de piste…

— Un tour de piste ? Ecoute, il faut que je t'avertisse : elle est… très jeune…

— Jeune ? Comment ça ?

— Je ne parle pas de son âge. Je veux dire qu'elle n'a pas beaucoup d'expérience… Elle n'est pas beaucoup sortie, si tu veux.

Après un moment d'incertitude, un éclair de compréhension avait soudain illuminé le regard du jeune séducteur :

— Je vois ! Vierge, n'est-ce pas ? Intéressant… Mais je veux bien relever le défi. J'ai toujours adoré faire ma B.A.

Sans répondre, Gabe s'était éloigné, les poings serrés au fond de ses poches pour rejoindre Rachel. Et, quand ils étaient montés se changer, dans le couloir de l'hôtel, devant leurs chambres respectives, il n'avait pu s'empêcher de se livrer à une petite mise au point.

— Comment, s'était écriée Rachel, tu ne veux pas que je danse avec Charles ? Tu es devenu fou ?

— Calme-toi et baisse le ton, s'il te plaît. Je trouve simplement qu'il n'est pas ton type.

— Mais il est absolument mon type ! Eleveur. Vingt-cinq ans. Sa sœur Angela était ma copine. Comment puis-je savoir si un homme peut faire un mari valable, si je n'ai même pas le droit de danser avec lui ?

C'était logique, Gabe devait en convenir. Sa réaction pouvait passer pour démesurée. Pourtant, pas question d'en rester là.

— Si tu es incapable de voir ce qui cloche avec ce type, tu aurais vraiment besoin d'un cours accéléré !

— Comment oses-tu ? avait-elle hurlé avant de se précipiter dans sa chambre et de claquer violemment la porte derrière elle.

Encore une erreur de tactique ! songea Gabe. Sa réaction exagérée n'avait fait que la pousser plus vite dans les bras de Charles. Plus il en ferait, et plus il s'enfoncerait dans son horrible rôle de chaperon !

Et maintenant, le bal avait commencé et, naturellement, elle avait passé la moitié du temps dans les bras de ce Casanova de pacotille !

Gabe leur jeta un regard écœuré en terminant sa bière avant de partir en quête d'un autre rafraîchissement. En chemin, il rencontra quelques anciens amis qui lui demandèrent de ses nouvelles, ravis de le voir à nouveau d'attaque, fiers de lui parler de leur petite famille et heureux de l'interroger sur ses projets.

Quant il revint dans la salle, Rachel et Charles avaient disparu.

— On sera mieux dehors, il fait plus frais, dit Charles en entraînant Rachel loin des lumières du bal, vers les berges sombres de la rivière.

Le cœur de la jeune fille se serra tandis qu'elle le suivait en tentant de contrôler l'émotion qui la submergeait. C'était bien ce qu'elle avait voulu, d'ailleurs : se retrouver seule avec Charles, loin du bal et des yeux indiscrets de son vieil ami.

Comment Gabe pouvait-il penser qu'elle allait se détendre et s'amuser dans ces conditions ? Et encore plus trouver un mari ! Elle avait l'impression gênante de sentir en permanence le poids de son regard sur sa nuque.

Jamais elle ne lui pardonnerait la façon dont il avait essayé d'éloigner Charles, le prétendant idéal : poli, attentif, toujours prêt à la complimenter. En plus, grand et beau dans son style, ce qui ne gâchait rien.

Tandis qu'il l'entraînait loin des lumières, elle se sentait en proie à un mélange d'excitation et d'anxiété. Il allait essayer de l'embrasser, c'était bien ce qu'elle attendait. Gabe n'était qu'un monstre qui voulait l'empêcher de profiter des attentions des autres hommes.

Si tout se passait bien, Charles tomberait peut-être amoureux d'elle et Windaroo serait sauvé. Avec un homme comme lui pour veiller à la bonne marche du domaine, grand-père ne voudrait plus vendre. Elle essaya de se concentrer sur la vision de Charles la conduisant à l'autel, puis sur leurs futurs enfants, un garçon et une fille, deux blondinets adorables.

En atteignant la zone d'ombre, elle songea à quel point elle avait envie que Charles l'embrasse. Ç'allait être fantastique ! Il l'attira à lui. Elle aurait pu rester des heures ainsi, la tête sur son épaule.

— Tu es vraiment adorable, tu sais, murmura-t-il en la serrant plus fort. Je ne comprends pas que les types de Mullinjim ne s'occupent pas de toi. Tant mieux pour moi !

Mais Rachel n'avait plus envie qu'il lui répète encore une fois ces compliments un peu fades. Il fallait qu'il l'embrasse, tout de suite. Elle lui tendit ses lèvres.

Les bras de Charles se refermèrent sur elle et sa bouche se posa sur la sienne. Un baiser très agréable. C'était bon de sentir la force d'un homme en même temps que sa tendresse. Un vague soulagement l'envahit : elle avait craint que cette expérience ne se révèle moins agréable qu'elle ne l'était.

— Dis donc, tu es très douée, chuchota-t-il.

Il l'embrassa à nouveau, à pleine bouche. Mais elle ne put s'empêcher de repenser à Gabe : comment avait-il réussi, en l'effleurant à peine, à lui faire un tel effet ?

Non. Il fallait qu'elle se concentre sur Charles. Gabe n'était absolument pas d'actualité en ce moment. Charles, au contraire, était l'homme idéal, celui qui allait éveiller ses sens.

Hélas ! ce n'était pas encore le cas, songea-t-elle en repoussant fermement les mains qui s'aventuraient sur sa poitrine.

— Tu es si désirable ! Tu me rends fou..., dit-il avec un petit rire gêné. Cette soirée a quelque chose de particulier. J'oublie qu'on vient juste de se rencontrer. Je voudrais mieux te connaître, savoir qui tu es réellement. Si seulement tu vivais plus près d'ici...

— Nous avons jusqu'à demain, tu sais.

— Oui, dit-il en l'embrassant. Je tiens à ce que tu passes toute la journée avec moi et, le soir, je t'invite dans un grand restaurant.

— C'est très sympa.

L'air satisfait, il la prit par le bras pour la ramener vers le bal.

— Demain, on verra comment on peut s'arranger pour continuer à se voir. Je sens que je vais avoir du mal à me passer de toi, maintenant.

Le visage de Rachel se détendit : jamais elle n'aurait espéré progresser à ce point en une seule soirée. A peine de retour dans la salle, elle aperçut Gabe, qui les fixait d'un regard noir, debout près de la porte. Elle n'allait pas se laisser intimider. La scène qu'il lui avait faite était impardonnable. Pas question qu'il s'en prenne à Charles.

— Excuse-moi, lança-t-il au jeune homme. Je dois dire un mot à Rachel.

— Qu'est-ce que tu veux ? s'enquit-elle d'un ton glacial.

— Sortons un instant, s'il te plaît.

— Pourquoi ? Qu'as-tu à me dire ? Est-ce au sujet de grand-père ? demanda-t-elle, soudain plus anxieuse.

85

Sans répondre, il la poussa par le coude vers l'extérieur tout en lançant à Charles :

— Ce ne sera pas long. Va donc boire quelque chose en attendant.

— C'est grand-père ? interrogea anxieusement Rachel tandis que Gabe la guidait fermement par le coude.

— Non. Il va bien, sinon ma mère m'aurait appelé.

— Que se passe-t-il, alors ? s'exclama-t-elle en essayant de se dégager si brutalement qu'elle vacilla sur ses hauts talons. Tu cherches simplement à me gâcher la soirée ?

Sans répondre, il l'entraîna vers le bosquet où elle se trouvait quelques minutes plus tôt avec Charles.

— Je me suis renseigné sur ton petit copain.

— A moins que ce ne soit un dangereux criminel, je te prie de ne pas te mêler de tout ça !

— Si sa sœur était vraiment une amie, elle t'aurait mise en garde. Tu n'as pas misé sur le bon cheval.

— Tu es aussi vulgaire que stupide.

— Et toi, tu ne veux pas voir la réalité en face. Je parle de son comportement avec les femmes.

— Tais-toi ! Rien ne te donne le droit de critiquer les… les amis que j'ai choisis.

— Tu le connais depuis cinq minutes !

— Et alors ! Je me moque de ce qu'on a pu te raconter. Sûrement des mensonges. D'ailleurs, il n'y a pas si longtemps, c'est sur *toi* qu'on colportait des ragots.

— Peut-être, lança Gabe en pâlissant. Mais moi, je ne t'ai jamais couru après !

— Je t'en remercie, tu peux en être sûr, s'écria-t-elle en sentant ses yeux s'emplir de larmes. Et je n'apprécie pas que tu m'espionnes. Charles me… me plaît énormément.

Il la saisit rudement par l'épaule et la poussa vers le petit bois.

86

— Alors, comme ça, Roméo t'a donné ta première leçon de pelotage !

— Décidément, quelle vulgarité ! Tu ne cherches qu'à tout gâcher !

— Tu as aimé ? questionna-t-il, le souffle court. Ça valait vraiment le coup ?

Elle avait beau sentir confusément qu'elle aurait mieux fait de s'abstenir de lui répondre, elle avait trop envie de lui faire mal. Comment avait-elle pu le considérer pendant si longtemps comme une sorte de héros ?

— Puisque tu insistes, oui, ça valait vraiment le coup. J'ai adoré, Gabe. Dans ses bras, j'avais enfin l'impression d'être une femme.

Il eut une sorte de rictus avant de détourner rapidement les yeux vers les grands chênes dont les branches touffues semblaient dresser un mur entre eux et le reste du monde.

— Ecoute, Rachel, répondit-il en se forçant à sourire, ne t'entiche pas du premier venu. N'importe quel homme, en t'embrassant, peut te procurer les mêmes sensations. Moi y compris !

Elle voulut protester mais se sentit comme paralysée par une émotion née au plus profond d'elle-même.

— Non, chuchota-t-elle si faiblement qu'elle fut certaine qu'il n'avait pas pu l'entendre.

— C'est vrai, murmura-t-il en approchant son visage de celui de la jeune femme. N'importe quel baiser peut produire cet effet.

Elle avait beau vouloir résister, le repousser, son corps tout entier semblait pris d'une étrange faiblesse. Soudain, elle sentit le visage de Gabe tout proche. Sa bouche se posa sur la sienne.

9.

Il n'y avait rien de caressant ni de tendre dans cette étreinte. Pas de préliminaires. Les bras puissants de Gabe l'étreignaient sans merci tandis que ses lèvres continuaient à chercher les siennes.

Une impulsion aussi folle qu'imprévisible.

Elle sentait son corps vibrer au contact de ses mains puissantes et chaudes. Sa bouche fondait sous la caresse passionnée de celle de Gabe. Ses dernières résistances l'abandonnaient. Il ne lui restait plus qu'à fermer les yeux pour se livrer à cette sensation exquise. L'odeur de sa peau, fraîche et épicée comme la brise dans les feuillages. L'avidité de sa bouche.

Comprenant soudain qu'elle avait attendu ce moment depuis toujours, elle noua ses mains derrière sa nuque pour lui rendre passionnément son baiser. La violence de l'étreinte de Gabe céda alors la place à un échange plus doux, plus lent, plus intime.

Ses mains caressaient lentement sa peau nue. Des mains possessives et expertes qui parcouraient son dos avec une tendre douceur avant de descendre vers ses hanches tendues sous le mince tissu de la robe.

Oui… La bouche de Gabe n'en finissait pas de goûter la sienne, de la savourer comme s'il voulait en graver pour toujours le goût dans sa mémoire. Leurs langues se frôlaient, leurs corps s'arquaient l'un contre l'autre, délicieusement, sauvagement avides.

Tout son être était devenu en même temps brûlant et plein de langueur. Pourtant, elle sentait pulser dans ses veines une étrange impatience qui gagnait sa poitrine et ses reins, un désir surprenant de hardiesse qui la poussait à s'abandonner tout entière à cet homme.

Etre à lui. Maintenant. Pour toujours.

Comme il s'écartait d'elle, elle sentit une sorte de désarroi l'envahir.

— Gabe, chuchota-t-elle en se blottissant à nouveau contre lui.

Un instant, elle crut qu'il allait la repousser. Pourtant, il l'attira à lui si violemment qu'elle chancela. Pourquoi ne l'embrassait-il plus ? Son souffle haletant et le tremblement de sa main suffisaient à prouver qu'il était aussi troublé qu'elle par ce baiser.

— Qu'est-ce qui t'arrive ? murmura-t-elle en lui effleurant la joue du bout des doigts.

— Arrête, lança-t-il en détournant le visage, et en fermant les yeux, comme s'il ne pouvait supporter de la voir si émue. J'espère que tu as compris la leçon.

« La leçon ? »

— Que veux-tu dire ? lança-t-elle en échappant à son étreinte.

Il avait rouvert les yeux pour mieux la transpercer de son regard vert, brûlant de colère.

— T'es-tu sentie suffisamment femme en m'embrassant, moi aussi ?

Ainsi, il prétendait avoir voulu lui donner simplement une leçon ! Ce merveilleux, cet inoubliable baiser n'était rien d'autre !

Des sanglots qu'elle tenta de contrôler lui nouèrent la gorge.

— Tu as seulement voulu me prouver que tu avais raison ?
s'écria-t-elle.

Comme il détournait à nouveau la tête, elle ne vit plus que
son profil arrogant dans l'ombre.

— Exactement.

Si elle en avait eu la force, elle aurait ravalé son orgueil
pour lui dire qu'il avait tort, absolument tort. Par ce baiser, elle
s'était sentie devenir mille fois plus femme qu'avec Charles.
Une expérience unique, incomparable.

Mais pas question de lui faire un tel aveu ! Il semblait si
dédaigneux, si insensible.

Elle se contenta d'une demi-vérité :

— Je ne peux pas te croire.

Sans se départir de son attitude compassée, il tourna lentement la tête vers elle.

— Il le faut pourtant. C'est l'exacte vérité.

Le buste de la jeune femme s'affaissa comme si ses pou-
mons s'étaient vidés d'un coup. Elle s'était comportée comme
une gourde, elle le comprenait enfin. Pendant des années, elle
l'avait mis sur un piédestal alors qu'il ne valait pas mieux que
les autres.

Pour l'embrasser de cette façon, uniquement aux fins de lui
donner une leçon, il fallait qu'il soit un monstre.

Si elle n'avait pas eu l'habitude de se dominer, elle aurait
éclaté en sanglots. Mais elle avait trop longtemps été un garçon
manqué qui remontait en selle immédiatement après être tombé
et qui savait ravaler ses larmes.

Elle se raidit tout en jetant à Gabe un regard de glace :

— Tu en donnes souvent, des leçons de ce genre ?

— Seulement à celles qui m'en demandent, rétorqua-t-il en
enfonçant ses mains dans ses poches. Et jamais avec plaisir.
D'ailleurs, l'idée ne vient pas de moi. Tu te rappelles, la nuit

où nous avons guetté les voleurs de bétail, à Windaroo ? C'est toi qui m'as demandé de t'aider !

Cette nuit-là ! C'était bien le dernier moment qu'elle avait envie qu'on lui rappelle. Elle avait eu beau le supplier, ou presque, de l'embrasser, il n'avait rien voulu savoir.

— Tu me connais, reprit-il. Si on me demande un service, je suis incapable de dire non et je vais jusqu'au bout. Quand je t'ai vue t'embarquer dans la mauvaise direction avec ce type, je te l'ai dit, mais tu as préféré en faire à ta tête.

— Tu m'as mise en garde contre Charles, c'est vrai, mais personne ne m'a mise en garde contre toi, répliqua-t-elle avec un sourire contraint. Et, d'une certaine façon, tu m'as traitée plus mal qu'il ne l'a fait. En tout cas, merci pour toutes tes leçons. Ce que tu m'as appris ce soir, je ne suis pas près de l'oublier.

— Heureux de te l'entendre dire. Je reste à ta disposition.

— Eh bien, la seule chose dont je sois certaine, maintenant, c'est de ne plus jamais avoir besoin de ton aide ou de tes conseils, lança-t-elle en tournant les talons.

Il eut un mouvement pour la rejoindre.

— Reste là, Gabriel. Inutile de me raccompagner. A vrai dire, ce serait un soulagement pour moi si tu pouvais disparaître de ma vue pour le reste du week-end, reprit-elle en se hâtant vers la salle.

Un instant, les lumières de l'entrée éclairèrent ses cheveux dorés et sa mince silhouette soulignée de soie blanche. Puis elle se fondit dans la foule joyeuse qui évoluait au rythme syncopé d'un air disco.

D'un coup de pied rageur, Gabe fit voler au loin une pierre, l'estomac noué. Que lui avait-il pris ? Pourquoi s'être comporté de cette manière abjecte ? A peine ses lèvres avaient-elles effleuré celles de Rachel qu'il avait compris quelle bêtise il venait de commettre. Depuis des semaines qu'il mourait d'envie de l'embrasser, il résistait tant bien que mal. Et puis, elle s'était jetée dans ses bras. Sa petite Rachel. Et elle était devenue une femme, la plus ardentte, la plus excitante qu'il eûût jamais connue.

Sans expérience ni artifice, elle l'avait embrassé avec le même enthousiasme qu'elle mettait à tout ce qu'elle entreprenait dans la vie. Un mélange explosif d'innocence et de passion auquel il aurait dû savoir résister. Mais il n'aurait jamais cru y trouver tant de douceur, de tendresse et de féminité.

Tant de sensualité brûlante.

Il avait bien failli perdre tout contrôle. Ou plutôt, il l'avait bel et bien perdu. Puis, par dépit, il l'avait démolie en prétendant avoir tout manigancé pour lui faire la leçon !

Il s'était comporté comme un monstre…

Mieux aurait valu la laisser tranquillement s'amuser avec Charles. Quelle importance si ce type était un peu coureur ? Elle aurait bien su le calmer si le besoin s'en était fait sentir.

Il avait eu tort de vouloir se mêler de tout ça. Pendant vingt-trois ans les rôles avaient été clairement distribués : il était le grand frère et elle la petite sœur, voilà tout. C'est cette idée de chasse au mari qui avait tout chamboulé.

Tout en remuant ces pensées moroses, il atteignit la berge sablonneuse où il s'affala, en proie à ses douleurs d'estomac et à sa culpabilité.

A peine arrivée dans la salle, Rachel n'eut aucun mal à repérer la haute silhouette de Charles. Elle lui trouva toujours belle allure, mais l'attente n'était visiblement pas au goût du jeune homme. Aussi eut-elle un instant d'hésitation avant de l'aborder avec son plus gracieux sourire :

— Je suis absolument désolée d'avoir été si longue.

— Tout se passe bien ? se contenta-t-il de demander d'un air indulgent.

— Parfaitement.

— Et ce Rivers, que voulait-il ?

— Seulement me mettre en garde contre toi, lança-t-elle avec un petit sourire narquois.

Le visage du jeune homme s'empourpra.

— Ne t'en fais pas, dit-elle en posant la main sur le bras de Charles. Je n'ai pas l'intention d'écouter ses sornettes !

— Il est jaloux ou quoi ?

— Mais non, répliqua-t-elle sans bien comprendre pourquoi son cœur se mettait soudain à battre la chamade. Il a toujours été comme ça. Un vrai rabat-joie.

Malgré toute la conviction qu'il avait mise dans son baiser, comment penser que Gabe pouvait être tout simplement jaloux ? Jamais d'ailleurs il n'avait dit ou fait quoi que ce soit qui le lui laisse penser.

A nouveau, elle adressa à Charles un sourire radieux, non sans remercier intérieurement Gabe de la leçon qu'il lui avait donnée. Sans cette expérience, elle ne pourrait pas apprécier l'agrément de se trouver en compagnie d'un homme comme Charles : il ne lui faisait pas battre le cœur, il ne la blessait pas au plus profond d'elle-même à chaque parole qu'il prononçait.

Il ne la troublait en rien.

— Ce chardonnay est de tout premier ordre et il se mariera merveilleusement avec le poulet que tu as commandé, dit Charles en levant son verre pour mieux en observer le contenu.

D'après lui, Finnigans, le restaurant de l'hôtel Wattle Park, était la meilleure table de la ville, ce qui était loin de constituer un critère d'excellence, d'ailleurs. Mais, ce dimanche soir, il était si bondé en raison des courses qu'ils avaient eu de la chance d'y trouver une table.

L'ambiance était plutôt romantique : éclairage tamisé, nappe brodée, argenterie et cristaux étincelants, fleurs et bougies sur chaque table. Le cadre idéal pour un premier rendez-vous.

La semaine précédente, elle avait eu la bonne idée d'appeler April qui l'avait convaincue d'acheter quatre nouvelles tenues dont cette adorable petite robe noire, un peu décolletée certes, mais dans laquelle elle se sentait maintenant parfaitement à l'aise. Une tenue adaptée aux doctes propos sur le vin que lui tenait Charles. Le seul problème… enfin, les deux seuls problèmes étant qu'elle avait l'impression de tomber de fatigue et qu'elle n'y connaissait rien en vin…

Quand elle s'en ouvrit à Charles, il lui sourit avec indulgence.

— Que dirais-tu d'un petit cours d'œnologie ?

A son grand embarras, un bâillement irrépressible lui échappa.

— Excuse-moi, mais ce week-end a vraiment été bien rempli : tous ces chevaux et tous ces gens que je ne connaissais pas… Mais je serais réellement ravie d'en savoir un peu plus sur ce sujet, expliqua-t-elle en feignant un intérêt passionné.

Voilà que de nouveau un homme se proposait de lui donner une leçon. Comme si celle de la nuit précédente ne lui avait pas suffi !

Il fallait qu'elle se concentre sur les raisons de sa présence ici, avec Charles. Il devait absolument tomber amoureux d'elle. Donc, d'abord, un peu de flatterie.

— Je suis ravie de rencontrer un éleveur qui s'intéresse à autre chose qu'à son bétail, murmura-t-elle en accentuant son sourire. Quel que soit l'endroit où l'on vit, l'important est de garder l'esprit ouvert.

Charles rosit délicatement de satisfaction.

— Comment faut-il s'y prendre, continua-t-elle. Dois-je d'abord humer le vin ?

Il posa ses doigts minces sur le pied de son propre verre et le souleva délicatement.

— Regarde bien : tu fais tourner doucement le vin dans le verre. Doucement, j'ai dit. Tu vas en renverser !

— Mais à quoi ça sert ? questionna-t-elle en s'exécutant adroitement.

— A en libérer les effluves et à en accentuer le parfum, expliqua-t-il en enfonçant profondément le nez dans son verre avant d'y tremper ses lèvres d'un air satisfait.

Pendant un petit moment, il fit habilement circuler le liquide d'un côté à l'autre de sa bouche avant de l'avaler enfin avec un air d'extase.

— Quel est ton verdict ? demanda-t-elle en baissant les yeux sur son assiette.

— Eh bien, il ne manque pas de parfum. Il a une robe superbe, il est suffisamment long en bouche, mais...

— Oh non, alors...

Rachel n'avait pu s'empêcher de laisser s'échapper ce cri en voyant une haute silhouette sombre s'encadrer dans l'entrée du restaurant.

Charles lui jeta un regard stupéfait.

— Mon garde du corps... ! s'exclama-t-elle tandis que le maître d'hôtel accompagnait Gabe à une table toute proche.

Son compagnon jeta un coup d'œil par-dessus son épaule avant de pousser un soupir excédé :

— Je n'y comprends rien. On dirait qu'il te suit à la trace. Je croyais pourtant que tout était clair.

— Comment ça, clair ?

— Dès que je t'ai vue, j'ai eu envie de faire... disons, plus ample connaissance avec toi. Je lui ai donc demandé si vous étiez ensemble, murmura-t-il en se penchant pour lui prendre la main.

— Ah bon… ! s'exclama Rachel avant d'avaler une bonne gorgée de chardonnay sans y mettre la moindre forme.

Derrière le dos de Charles, le serveur venait d'apporter à Gabe un verre rempli de vin qu'il leva vers elle tout en la saluant de la tête avec ostentation.

Elle s'empressa de ramener son regard sur son compagnon de table à qui elle dédia son plus radieux sourire.

— Gabe Rivers est le dernier type avec qui je voudrais avoir une embrouille, remarqua Charles.

— Tu veux rire. Il est doux comme un agneau.

— Allons donc ! Il est peut-être un peu diminué, mais je suis prêt à parier qu'il reste l'homme le plus coriace du canton !

A nouveau, elle porta son verre à ses lèvres pour cacher sa surprise.

— En tout cas, ne laissons pas ce monstre nous gâcher notre soirée. Continue plutôt à me parler du vin. Je trouve ce sujet passionnant !

— Eh bien, remarqua Charles en bombant le torse, il s'agit d'abord de procéder à l'éducation de tes sens…

Malgré les efforts surhumains qu'elle déployait pour se concentrer sur les savants propos de l'apprenti œnologue, elle ne pouvait ignorer la présence de Gabe qui se trouvait exactement dans sa ligne de mire. Elle tenta de se détourner pour ne plus le voir. En vain. Dès qu'elle levait les yeux, elle les sentait irrésistiblement attirés par son regard vert comme par un aimant et revivait en imagination le baiser passionné qu'ils avaient échangé la nuit précédente. A cette seule évocation, tout son corps frémissait encore d'humiliation et de désir.

Comment supporter tant de perfidie ? songea-t-elle en reposant son verre si brusquement que quelques gouttes éclaboussèrent la nappe immaculée.

— Désolée, dit-elle à Charles d'un air contrit.

— Tu sembles bien nerveuse.

— Je dois être un peu fatiguée par toutes les activités de ce week-end.

D'un geste qui se voulait galant, il souleva la main de la jeune femme pour la porter à ses lèvres :

— Pour ma part, je n'oublierai jamais les heures trop courtes que nous avons passées ensemble.

— Oh ! Charles, murmura-t-elle en regrettant désespérément de ne pas se sentir plus en accord avec tant de romantisme.

Naturellement, ç'aurait été plus facile si elle avait pu éviter de voir la grimace que lui faisait Gabe par-dessus l'épaule de son compagnon.

Tandis que Charles se livrait à nouveau à une dégustation de vin en règle, Gabe sentit la moutarde lui monter au nez pour de bon. Rachel n'avait rien fait pour dissimuler son agacement lorsqu'elle l'avait vu entrer dans le restaurant. Impossible de rester là à regarder sans rien dire ce frimeur lui faire son numéro. On aurait dit qu'elle était prête à se jeter dans ses bras, se dit-il, tandis qu'il échangeait avec la jeune femme un coup d'œil peu amène.

Aucun doute n'était permis : malgré ses grands airs, Charles ne songeait qu'à lui faire quitter cette charmante petite robe noire le plus vite possible.

Pour tenter de retrouver son calme, Gabe avala une gorgée de vin. Mais Charles s'était à nouveau emparé de la main de Rachel et la couvrait de baisers tandis que Rachel le gratifiait d'un regard plein de passion.

Gabe poussa un juron étouffé. Jamais Michael ne lui pardonnerait d'avoir laissé sa petite-fille tomber entre les mains de ce bellâtre. Et du train où allaient les choses, avant la fin du repas, ce tombeur l'aurait fait monter dans sa chambre.

À cette idée, son sang ne fit qu'un tour…

10.

Rachel eut beau détourner la tête, elle croisa à nouveau le regard de Gabe embusqué juste derrière l'épaule de Charles. Non, elle ne laisserait pas ce monstre lui gâcher son rendez-vous et son unique chance de garder Windaroo.

Tandis qu'elle abandonnait sa main à Charles, elle eut l'impression que le comportement de Gabe devenait très étrange : il avait roulé sa serviette et la tenait devant son œil gauche comme une longue-vue. Pas de doute ! Il s'appliquait ostensiblement à la ridiculiser et à saboter sa soirée.

Dieu merci, Charles était bien trop occupé pour se rendre compte de ce manège. De sa main libre, elle multiplia les signaux en direction de Gabe pour lui enjoindre de la laisser en paix et de filer.

— Tu es vraiment adorable, chuchota Charles en se penchant pour déposer un baiser sur ses lèvres.

Même si elle n'appréciait guère cette manifestation publique d'affection, la réaction de Gabe lui déplut plus encore : d'une main, il leva très haut son verre tandis qu'il dressait le pouce de l'autre d'un air appréciateur.

C'en était trop. Il fallait en finir !

— Excuse-moi, chuchota-t-elle en se levant discrètement avant de se diriger tout droit vers la table voisine.

L'attitude de ce monstre avait maintenant franchement dépassé les limites du tolérable. Depuis vingt-quatre heures, il n'avait eu de cesse de la pousser à bout. Elle le détestait de l'avoir embrassée, puis d'avoir brusquement interrompu ce moment magique. D'avoir éveillé ses sens et de lui avoir fait ressentir une excitation qu'elle n'aurait jamais voulu connaître. De l'avoir rejetée et poussée dans les bras de Charles.

Mais maintenant, elle lui en voulait à mort d'être là, tout simplement. Et de gâcher son avenir.

— Qu'est-ce que tu fais là ? lança-t-elle en atteignant sa table.

— Je suis en train de dîner, comme tu peux le constater, répondit-il en levant un sourcil d'un air mi-amusé, mi-étonné. Comme tout être humain en a le droit.

Le souffle court, elle agrippa le dossier de la chaise vide, en face de lui.

— Mais pourquoi avoir choisi cet endroit-ci, justement ?

— C'est le seul restaurant potable de la ville. Je ne suis pas amateur de fast-food.

— Pourquoi à cette table ? Pour nous espionner ?

— C'est le maître d'hôtel qui m'y a installé. Il n'avait guère le choix, répliqua-t-il en désignant d'un geste la salle bondée. D'ailleurs, que ça te plaise ou non, je reste sur le coup.

— Le coup ? Quel coup ?

— Je surveille ta chasse au mari.

Les mains sur les hanches, elle le toisa d'un air indigné :

— Je t'ai dit hier soir déjà qu'il n'en était plus question. D'ailleurs, je m'étonne que quelqu'un qui prétend avoir travaillé pour les services secrets soit aussi peu discret dans ses filatures. Et maintenant, je te prierai de déguerpir. Immédiatement !

— Tu n'as pas peur que les gens trouvent ma sortie un peu bizarre ?

— Absolument pas. Si tu le désires, tu peux encore faire monter ton dîner dans ta chambre.

— Il se trouve que je n'en ai pas envie. De toute façon, je ne vois pas où est le problème. Avec Charles, tu sembles aller assez vite en besogne. Vous faites un joli couple.

— Tu sais parfaitement que tu es en train de tout gâcher en te donnant en spectacle comme tu le fais !

— C'est moi qui me donne en spectacle ? Elle est bien bonne ! Alors que toute la salle se demande quand il va enfin réussir à caser son grand nez dans son petit gobelet !

Il était allé trop loin. D'un geste vif, Rachel saisit le verre plein de vin posé sur la table et en lança le contenu à la face de Gabe.

Tandis que le liquide ruisselait lentement le long de son visage et sur ses vêtements, d'un seul mouvement, toutes les têtes se tournèrent vers lui. On n'entendait plus ni tintement de verre ou de couverts, ni même le moindre chuchotement. Chacun retenait son souffle.

Très calme en apparence, la tête haute, le regard fixe, Gabe resta assis, immobile. En revanche, Rachel aperçut du coin de l'œil Charles qui se levait précipitamment pour gagner la sortie. Son visage reflétait la plus extrême mortification. Brusquement, la jeune femme prit conscience de l'énormité de l'acte qu'elle venait d'accomplir. Comment avait-elle pu être aussi stupide ?

Soudain, un serveur apparut à côté de la table.

— Vous avez un appel téléphonique, monsieur Rivers, dit-il avant de prendre conscience de la situation. Ah ! Mon Dieu…

Evitant de croiser le regard du garçon, Rachel détourna la tête juste à temps pour voir Charles pousser vigoureusement la porte. Comme elle esquissait un vague mouvement dans sa direction, il secoua vigoureusement la tête avec un geste de la main significatif. On aurait cru qu'il brandissait un crucifix en direction d'une troupe de vampires aux babines sanglantes. A toute vitesse, il poussa la porte d'entrée avant de disparaître dans la nuit.

— Pauvre chéri, susurra Gabe. Je crains que tu ne l'aies gravement traumatisé.

— Monsieur Rivers, reprit le serveur, je vous rappelle qu'on vous demande au téléphone.

— C'est vrai. J'avais débranché mon portable. Qui est-ce ?

— Mme Eleanor Rivers. C'est au sujet de M. Delaney.

Grand-père… Le sang de Rachel ne fit qu'un tour.

— Où est le téléphone ? s'enquit Gabe en se levant d'un bond.

— Veuillez me suivre, s'il vous plaît.

Ensemble, ils se hâtèrent vers la réception, sous les regards aussi intéressés que perplexes des autres dîneurs.

Mais Rachel ne les voyait même plus. Elle ne pouvait plus voir que le visage buriné, le visage tant chéri de son vieux grand-père. Une prière muette s'éleva dans son cœur : « Oh ! Mon Dieu ! Faites qu'il ne soit pas mort ! Pas maintenant ! Pas encore ! »

Ils atteignirent enfin le hall. Tandis que Gabe prenait l'appareil, elle resta tout près de lui, paralysée par l'émotion, les mains pressées sur sa bouche.

— C'est Gabe, dit-il. Que se passe-t-il, maman ?

Même si Rachel pouvait percevoir la voix d'Eleanor, ce qu'elle disait lui échappait. Les yeux fixés sur le visage de Gabe, elle essayait d'interpréter ses réactions. Mais il était très concentré, écoutant silencieusement sans répondre. A un moment, il eut une grimace douloureuse qui la fit frémir, puis reprit rapidement un air impassible.

— Merci, dit-il enfin. Nous arrivons le plus vite possible.

Il reposa l'appareil avant de se tourner vers elle pour lui dire avec une grande douceur :

— Il a été victime d'une nouvelle attaque.

De ses mains crispées sur sa bouche, elle étouffa un cri.

— En ce moment, on le transporte en ambulance à l'hôpital de Mullinjim.

Brusquement, les larmes ruisselèrent sur le visage de la jeune femme.

— On y va maintenant, murmura Gabe en la prenant par le coude.

D'une voix étranglée, elle le remercia tandis qu'il s'adressait à la réceptionniste :

— Vous me ferez parvenir ma note ainsi que celle de Mlle O'Malley. Nous partons sur-le-champ.

L'employée, déconcertée par le vin qui continuait à ruisseler sur son visage et ses vêtements, eut un mouvement d'hésitation. Mais il y avait tant d'autorité dans sa voix qu'elle se contenta de répondre :

— Très bien, monsieur. Ce sera fait.

Comme ils atteignaient l'autoroute, Rachel se sentit enfin le courage de demander :

— Ta mère t'a donné plus de détails ?

— Pas vraiment, mais elle avait l'air assez inquiète. Je regrette de ne pas avoir un hélicoptère : nous serions allés tellement plus vite !

Même en roulant à bonne allure, calcula Rachel, ce voyage allait prendre au moins trois heures. Qu'adviendrait-il de grand-père pendant ce temps-là ? A la lumière des phares d'un camion, elle remarqua les mâchoires de Gabe, crispées de frustration.

— Je suppose que le fait de conduire doit te faire horriblement souffrir depuis ton accident ? demanda-t-elle.

— Ça m'est égal, mais les voitures vont si lentement !

Ils se turent à nouveau. Plus rien ne demeurait de l'attitude exaspérante qu'il avait affichée durant tout le week-end.

Visiblement, seule comptait pour lui la santé de Michael. Et tandis qu'ils roulaient silencieusement, sous le pâle rayon de lune, elle avait l'impression de retrouver son ami de toujours.

Souvent venaient s'imposer à elle des visions de son grand-père gisant sur un lit d'hôpital, relié par des tubes à d'horribles machines, tandis que les médecins s'affairaient autour de lui. Une foule de souvenirs lui revenaient en mémoire : le jour où il lui avait appris à monter à cheval, toutes les fois où ils avaient préparé le lait pour les veaux, les longues semaines où il l'avait soignée pendant sa varicelle, les soirs où il venait l'attendre à la gare après la pension. Et aussi, comment il avait supporté sa crise d'adolescence sans jamais cesser de lui dire combien il l'aimait et comme il était fier d'elle. Bien qu'elle n'eût pas toujours été de tout repos, il avait fait preuve d'une patience d'ange…

— Je n'avais qu'un an quand il a fallu qu'il me prenne en charge.

Gabe lui adressa un petit sourire consolateur.

— Il t'a toujours adorée, depuis le jour de ta naissance. Je me rappelle quand il est arrivé chez nous, les larmes aux yeux, pour nous l'annoncer. Il était si heureux qu'il m'a offert un cigare alors que je n'avais que six ans !

— Tu l'as fumé ? questionna Rachel en souriant à travers ses larmes.

— Deux bouffées et après j'ai été malade comme un chien. Mais j'en ai été dégoûté à vie.

— Dis-moi qu'il va se rétablir, supplia-t-elle.

— Quoi qu'il arrive, Rachel, il ne sera pas pris au dépourvu, répondit-il après un long silence.

Même si ce n'était pas exactement ce qu'elle aurait voulu entendre, elle savait qu'il disait vrai. Mais, à la pensée du petit cimetière de Mullinjim, avec son allée bordée d'acacias qui conduisait à la tombe de sa grand-mère et de ses parents, elle sentit son cœur se briser.

Oui, Michael était en train de livrer une terrible bataille au terme de laquelle il risquait de rejoindre ces êtres si chers à son cœur. Des larmes silencieuses roulèrent sur les joues de Rachel.

Brusquement, elle frissonna dans sa courte robe noire aux fines bretelles. Comme elle jetait un coup d'œil machinal à ses jambes gainées de bas noirs, l'horrible scène du restaurant lui revint à l'esprit.

Dans tous ses détails.

S'essuyant les yeux d'un revers de main, elle regarda furtivement si on distinguait toujours les taches de vin sur la chemise blanche de Gabe. Mais, évidemment, il s'était changé à l'hôtel avant de repartir.

— Gabe, excuse-moi de t'avoir lancé ce verre de vin, je t'en prie.

— Je suppose que je l'avais bien cherché, répondit-il sans détourner les yeux de la route.

Sans doute, se dit-elle en fixant les prairies que baignaient la froide lumière de la lune. Tout à l'heure, au restaurant, elle s'était sentie devenir folle de rage. Comme tout cela lui semblait loin maintenant ! Comment le même homme pouvait-il avoir à la fois le pouvoir de la plonger dans une telle colère et celui de la rasséréner si profondément ?

— Tu te moquais de Charles derrière son dos. C'est cette façon de faire que je n'ai pas supportée.

— Excuse-moi.

Malgré la sincérité de son ton, elle crut deviner l'ombre d'un sourire au coin de ses lèvres.

— Nous nous sommes excusés tous les deux. Ainsi, nous sommes quittes. Alors, ce type te plaît vraiment ? ajouta-t-il, les yeux toujours fixés sur la route.

Elle s'abstint de répondre. Quel intérêt y avait-il à discuter de Charles après la façon dont ce dernier l'avait plaquée au restaurant ? Cet incident revêtait maintenant bien peu d'importance en regard du souci qu'elle se faisait pour Michael. Un instant, elle s'imagina présentant Charles à son grand-père et se figura la stupéfaction de ce dernier devant les cours d'œnologie dispensés par le jeune homme. Ce n'aurait sans doute pas été la rencontre du siècle.

Si seulement grand-père avait pu lui faire confiance à *elle* pour gérer seule le domaine, elle n'aurait pas eu cette idée de mariage en tête ! D'ailleurs, elle avait eu beau trouver charmants les baisers de Charles la nuit précédente, ce soir, sa conversation l'avait fait mourir d'ennui.

— Rachel, reprit soudain Gabe, ce Charles Kilgour, il te plaît pour de bon ?

— Il a des qualités.

— On croirait entendre une maîtresse d'école.

— Il est mignon, aussi, tu ne trouves pas ?

— Mignon ?

C'était toujours de cette façon qu'elle avait entendu les filles de Mullinjim décrire leurs petits amis.

— Et c'est ce que tu cherches, pour faire marcher Windaroo, quelqu'un de mignon ?

— Oui. Un petit éleveur mignon. Ça sonne bien, non ?

— C'est parfaitement ridicule !

Soudain, la sonnerie du portable de Gabe retentit. Immédiatement, il se rangea sur la bande d'arrêt de l'autoroute.

Tandis que dans le cœur de la jeune femme montait une prière muette, elle vit le visage de son ami se crisper en une grimace terrible tandis qu'il étouffait un cri.

— C'est… c'est fini, n'est-ce pas ?

Sans rien dire, il inclina la tête.

— Oh… Oh… Gabe.

Doucement, il la prit dans ses bras tandis que de lourds sanglots la secouaient tout entière.

Comment supporter ce moment ? Cette soudaine impression de solitude qui se creusait en elle. Ce vide, ce vide terrible et noir.

Tremblante, elle se laissa aller dans les bras rassurants de Gabe.

— Je suis si triste, répétait-il tout en la serrant contre lui et en caressant doucement sa chevelure.

Elle avait l'impression que ses larmes ne se tariraient jamais.

11.

Après les obsèques, l'assistance se réunit dans la salle de la paroisse pour se désaltérer. Dans sa robe noire, Rachel avait l'air épuisé. Elle se tenait très droite dans un coin, une tasse de thé à la main tandis que les gens défilaient devant elle pour lui présenter leurs condoléances. En proie à un sentiment bizarre, elle avait l'impression d'assister à cette scène plutôt que de la vivre.

Cela faisait des jours qu'elle n'avait quasiment pas mangé ni dormi, l'esprit occupé par les tâches matérielles à accomplir. Pourtant la tristesse l'envahissait souvent, par bouffées fiévreuses qu'elle ne contrôlait pas.

— Excusez-moi, Rachel.

En se retournant, elle aperçut Jim Holmes, le notaire de la famille, un petit homme chauve avec une couronne de cheveux grisonnants et une fine moustache. Comme d'habitude, il avait l'air stressé.

— Il faut absolument que j'aie une conversation avec vous concernant les dernières volontés de votre grand-père, annonça-t-il. Demain à neuf heures dans mon bureau, est-ce possible ?

— Oui. C'est d'accord, acquiesça-t-elle tout en sentant son cœur battre plus vite.

Elle s'était interdit jusque-là de penser à l'avenir, à Windaroo. Grand-père s'était toujours opposé à ce qu'elle reprenne toute seule la gestion de la propriété. Qu'allait-il advenir, maintenant ? Se pouvait-il qu'elle ait un jour à quitter le domaine ?

Une main posée sur son bras l'arracha soudain à ses pensées. Elle se retourna et son visage s'illumina de joie à la vue de Gabe.

— Je sais à quoi tu étais en train de rêver, lança-t-il.

— Ah bon ?

— A aller pêcher au bord de la rivière, ce soir.

— Oh ! Oui ! On va y aller ! s'écria-t-elle, pleine d'enthousiasme. Gabriel, tu es un ange !

Depuis le temps qu'elle avait remisé cette vieille blague…

— J'apporterai une poêle pour que nous puissions faire cuire le résultat de notre pêche, proposa-t-il.

— Quel bel optimisme !

Tandis qu'il s'éloignait, elle se dit qu'elle aurait bien voulu envisager avec la même sérénité son avenir à Windaroo.

— Pas l'ombre d'une touche ! Autant aller pêcher le bunyip ! lança Gabe, écœuré, en se laissant tomber sur le sable.

Derrière un bouquet d'eucalyptus, le soleil dardait ses derniers rayons couleur de miel. Rachel qui s'était installée plus haut sur la rive, adossée à un tronc, se pencha vivement vers son vieil ami avec curiosité.

— Figure-toi que je me suis toujours demandé en quoi consistait la pêche au bunyip. Tout le monde sait que ça n'existe que dans les légendes des aborigènes, mais j'étais folle de jalousie quand Jonno et toi vous prétendiez partir le pêcher sans jamais vouloir que je vous accompagne. Qu'est-ce que vous fabriquiez pendant ce temps-là, en réalité ?

— Tu étais trop petite pour qu'on te mette dans la confidence. D'ailleurs, tu n'as jamais aimé la bière.

— Je ne vois pas le rapport.

— C'est une histoire d'hommes, mais, exceptionnellement, je vais tout te révéler. Voilà : les bunyips sont censés adorer la bière tiède. Donc, pour les attraper, il suffit d'en attacher une canette au bout de sa ligne. Mais, naturellement, au bout d'une demi-heure, elle est devenue trop froide, alors, le mieux qu'on ait à faire est de la remplacer par une bien chaude.

— Et naturellement de boire la fraîche.

— Naturellement.

— Je comprends pourquoi vous rentriez toujours de la pêche au bunyip dans un état second ! s'exclama-t-elle en riant.

— Je n'y suis pas retourné depuis bien longtemps.

— Tu n'es pas retourné dans le bush depuis si longtemps, capitaine Rivers. Trop occupé à conquérir le ciel et à jouer les héros !

Sans répondre, il se dirigea vers le sac qu'il avait apporté.

— J'avais prévu que le poisson pouvait ne pas être au rendez-vous. Tu veux nous faire griller des saucisses, à la place ?

Elle n'avait rien mangé de la journée et se sentit saliver à la seule évocation de la nourriture.

— Hum ! dit-elle en se passant la langue sur les lèvres.

Dans le regard de Gabe, elle perçut soudain une sorte de méfiance, comme si le fait de se trouver seul avec elle à cet endroit suscitait en lui des pensées particulières. Peut-être le souvenir de leur baiser l'avait-il envahi, lui aussi, tout à coup ?

Comme il la regardait fixement, immobile, elle se sentit prise au piège de ses yeux verts.

— On ferait mieux de chercher du bois pour le feu, lança-t-il en se redressant vivement.

— Tu as raison, répondit-elle en essayant d'ignorer le vide qui se creusait dans sa poitrine.

Pendant qu'ils rangeaient leurs lignes et rassemblaient du petit bois, la lumière dorée vira au mauve et la nuit tropicale les enveloppa brusquement. Ils se hâtèrent d'allumer un feu tandis que l'ombre s'épaississait autour d'eux.

Après avoir enfilé les saucisses sur de petites branches de gommier, Gabe les fit griller dans la poêle. Puis, ils les dévorèrent à même les brochettes, léchant leurs lèvres et leurs doigts barbouillés de gras et riant comme des gosses affamés.

— J'avais oublié ce plaisir-là, reconnut Rachel.

— Rien de tel, pas vrai ?

— A part peut-être mon pudding aux raisins, arrosé d'une tonne de sirop. Tu te rappelles quand j'en faisais ?

Elle eut l'impression qu'une fois de plus ils étaient tous deux à la recherche de leur vieille relation d'autrefois, simple et sans problème, avant que cette terrible gêne ne se glisse entre eux. Leurs yeux se rencontrèrent et le cœur de Rachel se mit à battre la chamade. Malgré les craquements joyeux des flammes, son sourire se figea et elle se raidit au souvenir du baiser qu'ils avaient échangé.

Au souvenir de son corps se lovant irrésistiblement contre celui de Gabe. De ses bras qui la serraient si fort, de sa bouche aux lèvres chaudes et exigeantes qui ouvraient doucement les siennes.

Cette impression de vertige. De brûlure. D'amour.

Halte ! Il ne fallait pas oublier comment, lui, il avait réagi.

Comment il l'avait humiliée.

— Ecoute, dit-il brusquement. Si tu veux, je peux téléphoner à Charles Kilgour.

— A quoi bon ?

— J'aimerais arranger les choses, répondit-il, les yeux fixés sur les flammes. Je me suis conduit d'une manière odieuse. J'ai saboté ton histoire avec ce type, je le reconnais.

Une idiote, voilà ce qu'elle était ! Une minute plus tôt, elle ne rêvait que d'embrasser Gabe et voilà qu'ils se retrouvaient en train de discuter de Charles, très calmement. Comme des larmes de dépit lui montaient aux yeux, elle fit mine d'éloigner d'une main la fumée, tout en s'essuyant furtivement de l'autre. Pourvu que Gabe n'ait rien remarqué !

Jamais elle n'aurait prêté la moindre attention à Charles si Gabe, lui…

Elle eut une révélation soudaine. Ainsi, c'était donc Gabe qu'elle aimait, totalement et sans espoir ! Oui, depuis toujours, il avait été son héros, son idole, mais jamais elle n'avait voulu penser qu'elle était amoureuse de lui. Maintenant, elle le comprenait. Pour tenter de contenir ses larmes, elle ferma les yeux très fort.

Elle sentit qu'il se penchait vers elle.

— Rachel, souffla-t-il en lui prenant le menton.

Si elle ouvrait les yeux, elle ne pourrait plus lui cacher son trouble. Que ferait-elle, alors ? La vie était si compliquée.

— Rachel, répéta-t-il en faisant doucement tourner vers lui le visage de la jeune femme. Qu'est-ce que tu as ?

Non, elle n'ouvrirait pas les yeux. Son cœur avait beau battre à tout rompre, jamais il ne connaîtrait son ridicule secret.

— Si c'est pour Charles, je te demande pardon. Jamais je n'aurais dû empiéter ainsi sur ta vie privée.

— Ce n'est rien.

Comme si Charles avait eu la moindre importance !

— Tu comprends, c'est dur, pour moi, de ne plus avoir à te protéger, chuchota-t-il en lui caressant la joue.

Une larme roula sous ses doigts.

— Mais tu es bouleversée…

Incapable de répondre, elle se contenta de hocher la tête.

— Ecoute, reprit-il, au lieu de partir pour Sydney, je pourrais rester ici un moment, si tu préfères.

— Comment ça, partir pour Sydney ?

— Il me faudra bien y retourner pour décider de mon avenir. Mais s'il te faut quelqu'un pour t'accompagner et te permettre de rencontrer d'autres candidats au mariage, je suis ton homme. Et, cette fois, je ne viendrai pas mettre mon grain de sel. Juré.

Elle s'écarta de lui pour tenter de cacher ses yeux noyés de larmes. Pourquoi tenait-il tant à la jeter dans les bras d'autres hommes ? Lui qui savait parfois si bien la comprendre et deviner ses aspirations les plus secrètes. Et pourquoi ce baiser si passionné, l'autre nuit, si elle ne lui inspirait aucun désir ?

— Je me moque bien d'aller au bal ou de me marier. Et si j'en avais envie, ce n'est sûrement pas à toi que je demanderais de m'aider !

— Très bien, dit-il en se levant.

— Ne me touche pas ! s'exclama-t-elle, comme il posait la main sur son bras. Les hommes, j'en ai vraiment assez !

Mais, comme elle reculait pour se dégager, son pied se prit dans une branche morte. Si Gabe ne l'avait pas retenue, elle serait sûrement tombée. Soudain, elle se retrouva dans ses bras puissants, la tête contre son épaule, et il lui sembla que leurs cœurs battaient trop rapidement mais au même rythme.

Il la serra contre lui avec une sorte de gémissement qu'il ravala au fond de sa gorge. Ses yeux luisaient dans l'ombre d'un éclat presque métallique. Elle sentit son souffle court sur son visage. Si seulement elle osait lui demander de l'embrasser. Grand-père ne lui avait-il pas conseillé de suivre son cœur ?

Mais déjà il s'écartait d'elle.

— Tu as eu une dure journée, murmura-t-il en lui tapotant la joue. Il faut rentrer à la maison.

Lentement, elle se baissa pour ramasser la poêle.

— Demain, je dois aller chez Jim Holmes pour connaître les dernières volontés de grand-père. J'appréhende un peu ce moment.

— Si je peux t'aider…, proposa-t-il en la fixant intensément.

Sans rien ajouter, il se détourna pour recouvrir de sable les cendres encore brûlantes.

Il était en train d'appeler Sydney de son bureau d'Edenvale lorsqu'il entendit claquer la portière d'une voiture. Sans lâcher le téléphone, il jeta un coup d'œil par la fenêtre.

Rachel.

Elle avait l'air hors d'elle.

—Excusez-moi. Une urgence. Je vous rappellerai plus tard, dit-il avant de raccrocher.

Il avait toujours pensé que le testament de Michael Delaney provoquerait un choc chez sa petite-fille.

Dès qu'elle le vit, elle se précipita vers lui.

Comme elle l'avait toujours fait lorsqu'elle était enfant, quand son chien était mort, quand elle avait dû partir en pension, quand Michael lui avait interdit de participer à un rodéo ou de se faire tatouer.

Mais si, en ce temps-là, il savait apaiser ses craintes et ses colères, aujourd'hui, il se sentait incapable de lui être du moindre secours dans ses problèmes sentimentaux et à plus forte raison dans l'imbroglio juridique qu'il pressentait.

Pour l'occasion, elle avait revêtu un ensemble de ville, strict et élégant, mais son allure n'avait rien de sophistiqué. Les joues rouges et le regard étincelant, elle ne prit pas la peine de le saluer.

— Tu ne devineras jamais ce que grand-père m'a fait.

— Dans ce cas, mieux vaut entrer pour me l'expliquer, répondit-il calmement.

Elle hésita un instant sur le seuil. Le soleil posait sur ses cheveux des reflets dorés et Gabe eut bien du mal à résister au désir d'y plonger ses doigts.

— Je ferais peut-être mieux de rester dehors, proposa-t-elle. Je n'ai pas envie de mêler toute ta famille à cette histoire.

— Justement, ils sont tous les trois à la vente de bétail de Charters Towers pour la journée. La maison nous appartient.

— D'accord. Merci, dit-elle après une légère hésitation qui le surprit.

Il l'emmena au salon, où elle s'assit sur l'extrême bord d'un fauteuil, tirant sa courte jupe sur ses genoux. Quant à lui, il s'installa confortablement sur le canapé, face à elle.

— Je suppose qu'il a été question de dispositions concernant Windaroo. De quoi s'agit-il au juste ?

Avant de commencer, elle prit une longue inspiration.

— Eh bien, voilà : grand-père s'apprêtait à vendre à Karl Findley.

— Karl Findley ? Ce voleur de bétail ?

— Exactement.

Gabe se redressa brusquement sur son siège. Maintenant, il comprenait le désarroi de Rachel. Bien plus, il se sentait profondément bouleversé.

— Mais pourtant il savait bien que c'était lui qui avait essayé de vous voler ?

— Naturellement. Je lui en avais rebattu les oreilles. Pourtant, la propriété sera mise aux enchères et chacun sait que c'est Findley qui fera les meilleures offres.

— Le produit de la vente doit donc te revenir, à toi ?

— Sans doute. Mais comment pourrais-je supporter de vivre de cet argent si je sais que j'ai dû vendre Windaroo à ce chacal de Findley ?

— Et s'il n'y a pas d'alternative ?

Elle croisa nerveusement les jambes tout en feignant d'examiner minutieusement le bras de son fauteuil.

— Il existe bien une autre solution…

— Mais laquelle ?

— Voilà, répondit-elle, le regard toujours baissé : Windaroo sera vendu à moins que je me marie dans le mois qui suivra la mort de grand-père.

12.

— Comment a-t-il pu me faire une chose pareille. Mon propre grand-père ! Il savait parfaitement que je n'avais pas l'ombre d'une chance d'y arriver !

Rachel vit les poings de Gabe se crisper et tout son corps frémir malgré ses efforts pour garder son calme.

— Je sais que Michael se faisait un énorme souci à l'idée de te laisser à toi seule la charge de Windaroo.

— Mais, ces dernières années, c'est moi qui me suis occupée du domaine, et personne d'autre ! Il ne produit sans doute pas autant qu'il le pourrait, mais le rendement n'est pas si mauvais !

Cette clause était trop injuste ! La seule raison qui l'avait empêchée de développer davantage la production, c'était justement la maladie de grand-père.

— J'ai cru entendre Michael faire allusion à des dettes, un jour, remarqua Gabe.

— C'est vrai, reconnut-elle en soupirant. Nous sommes en retard dans le paiement de la taxe foncière et, il y a quelques années, grand-père a contracté un emprunt pour financer des rénovations. Mais rien qui justifie de vendre à Karl Findley ! Je ne peux pas supporter l'idée que cet homme mette ses sales pattes sur mes terres et sur ma maison.

— Je suppose que tu pourrais porter l'affaire devant la justice, mais une telle démarche doit prendre du temps et revenir cher.

— Oui, et d'après Jim Holmes je ne suis pas assez riche pour me le permettre.

— Alors, il ne te reste que le mariage.

— Pas question, lança-t-elle avec un petit reniflement de mépris. Je me refuse à passer le mois qui vient à courir après un mari comme une Cendrillon de bush en quête d'un hypothétique prince charmant.

Lentement il se leva et se dirigea vers la fenêtre, comme pour observer ce qui se passait de l'autre côté de la véranda, près des écuries et des étables.

— Je vais quand même voir si je ne peux pas intenter une action en justice, lança Rachel d'une voix décidée.

Le dos tourné, les mains dans les poches, Gabe semblait toujours perdu dans ses pensées.

— Gabe !

Lentement, il se tourna vers elle, la fixant d'un regard qui la fit frissonner jusqu'au plus profond de son être. Sans doute en demandait-elle trop à Gabe qui avait assez à faire pour résoudre ses propres problèmes. Il était venu là pour trouver la tranquillité et essayer de récupérer. Et il pensait rentrer bientôt à Sydney prendre un nouveau départ et rejoindre ses petites amies…

— Désolée de t'accaparer ainsi, dit-elle en se levant. Jamais je n'aurais dû venir ici déverser ma bile.

Sauf qu'elle était désespérément amoureuse de lui, qu'il occupait ses pensées vingt-quatre heures sur vingt-quatre et que cette réaction lui avait paru si naturelle…

Elle se baissa pour récupérer son sac qui gisait près du fauteuil.

— Et si tu te mariais avec moi…

Elle sentit ses jambes se dérober soudain sous elle et dut s'agripper au bras du fauteuil de peur de tomber. Lentement, elle releva la tête :

— Qu'est-ce que tu as dit ?

— Je t'ai simplement proposé de t'épouser, Rachel, dit-il avec un demi sourire, une lueur étrange dans les yeux.

Son sang avait beau battre lourdement dans sa tête, elle était sûre de ne pas s'être trompée.

Elle dut se mordre les lèvres pour ne pas crier : « Oui… Oui, je veux t'épouser ! »

Mais la vérité, c'est que Gabe avait compris qu'il lui fallait trouver un mari maintenant. Sinon, ce mariage, il aurait pu le lui proposer depuis des jours, des semaines. Comme toujours, il se sacrifiait par pitié pour elle, parce qu'il savait à quel point elle tenait à Windaroo. Comme quand elle était enfant, il voulait encore la protéger.

— Merci, dit-elle d'une voix tremblante, mais je ne peux accepter.

Elle vit ses traits se durcir. Même en ce moment, elle restait sous le charme, fascinée par chaque détail de son visage : l'épaisse chevelure brune coupée très court, les fines rides aux coins des yeux, la petite cicatrice pâle au-dessus de son sourcil droit.

Il avait toujours fait partie de sa vie. Et maintenant, au moment où tout semblait s'effondrer, il lui proposait de devenir sa femme. Pourquoi ne pouvait-elle pas accepter tout simplement, avant qu'il reprenne ses esprits et change d'avis ?

Parce qu'il le lui proposait pour de mauvaises raisons. Il ne pouvait pas l'aimer.

Une semaine plus tôt, dans son inconscience, elle aurait répondu oui sans hésiter. Aujourd'hui, sachant à quel point elle était amoureuse de lui, elle pouvait se représenter la torture qu'elle subirait à vivre à ses côtés cet amour sans espoir.

— Ce serait une terrible erreur, reprit-elle d'une voix plus assurée.

— Pourquoi ?

— Pourquoi ne me l'as-tu pas proposé avant ? Avant que je me lance dans cette ridicule chasse à l'homme ?

— Je pense que nous pourrions tenter l'expérience, dit-il en se rapprochant d'elle.

Un instant, le souffle court, elle crut qu'il allait la prendre dans ses bras. En vain.

— Tenter l'expérience ? répéta-t-elle, d'une voix brisée par l'émotion. Je n'ai rien à faire d'un mariage qui représente une corvée pour toi.

— Je ne voulais rien sous-entendre de négatif. Mais raisonnablement…

— Pas un mot de plus, Gabe, coupa-t-elle. Tu ne ferais qu'aggraver les choses. J'ai compris que tu étais prêt à m'aider, mais tout va bien.

— Tout va bien alors que Michael est mort et que tu vas perdre Windaroo !

— Justement. Souviens-toi qu'il n'y a pas longtemps, tu m'as déconseillé de me marier sous l'effet du désespoir. C'était un excellent conseil. Au fond, je préférerais savoir Windaroo aux mains de Findley qu'accepter ta proposition.

Ravalant ses larmes, elle ramassa son sac d'un geste rageur.

— Et toi, capitaine Rivers, permets-moi de te donner un petit conseil. Tu as beau être expert en matière de flirt, de baisers et de sexe, en ce qui concerne les demandes en mariage, tu as encore beaucoup à apprendre. Je ne vois pas quelle fille accepterait de se marier avec un type qui le lui propose de l'autre bout de la pièce…

Puis elle se rua vers la porte et dévala l'escalier extérieur, des sanglots plein la gorge, espérant malgré tout qu'il allait la rattraper, l'appeler, lui crier qu'il l'aimait…

Mais rien de tel ne se produisit. En silence, elle remonta dans le 4x4, démarra et s'éloigna dans un crissement de gravier.

Le lendemain matin, en descendant dans la cuisine, Gabe y trouva sa mère, occupée à pétrir la pâte à pain. En l'entendant arriver, elle sourit sans lever les yeux. Mais son sourire s'évanouit brusquement lorsqu'elle aperçut le sac de marin pendu à son épaule.

— Tu nous quittes déjà ?

— Oui, répondit-il en posant son sac à terre. J'ai des affaires à régler à Sydney.

— Je croyais que tu en avais plutôt à régler ici, dit-elle en s'affairant plus que jamais à sa tâche.

— C'est fait.

— Je vois, dit-elle en lui lançant un regard entendu. Tu as averti ton père ?

— Je lui ai dit que j'avais décidé d'acheter un hélicoptère pour fonder ma propre entreprise de rassemblement de bétail.

— Et tu resterais basé à Edenvale ?

— Peut-être. A moins que je ne choisisse de me fixer dans un centre plus important, comme Charters Towers ou même Townsville.

— Au fond, ce n'est peut-être pas plus mal que tu t'éloignes un moment.

— Ravi de te l'entendre dire, lança-t-il.

— Un peu de distance te permettra d'envisager ce qui se passe ici avec davantage de clairvoyance et de sérénité.

— Je ne vois pas où tu veux en venir.

— Allons, Gabe, rétorqua Eleanor en soupirant, je sais bien que tu es trop vieux pour que j'essaie de te tirer les vers du nez, mais voilà un moment que tu tournes autour de Rachel O'Malley comme une âme en peine…

— Comme une âme en peine !

— Exactement, mon garçon.

— J'ai du mal à croire que j'entends ces paroles de la bouche de ma propre mère.

Sans broncher, elle soutint son regard indigné.

— Tu sais que je me suis toujours tenue à l'écart de tes histoires de femmes, mais…

— Tu fantasmes, ma pauvre maman. Il n'y a jamais rien eu entre Rachel et moi !

— Comme je viens de te le dire, ça te fera du bien de passer quelque temps à Sydney et d'envisager la situation de façon plus… détachée, que ce soit du point de vue professionnel ou d'un autre.

— Eh bien, merci beaucoup pour ce petit cours matinal de psychologie, lança-t-il en levant les yeux au ciel.

Soudain, il s'approcha de sa mère et l'étreignit avant de l'embrasser tendrement.

— La vérité, murmura-t-il, c'est que je me sens vraiment comme une âme en peine.

— Oh, mon chéri, dit-elle en lui caressant furtivement la joue, profites-en pour faire le point et, dès que tu sauras où tu en es, reviens vite.

Décidément, le temps était vraiment une entité bizarre. Selon les circonstances, un mois pouvait sembler interminable, ou donner l'impression de s'écouler plus vite que l'éclair.

Rachel venait de passer quatre semaines dans une sorte de torpeur inquiète et interminable. Après consultation des banques et d'un avocat, elle avait vite compris qu'il était inutile de contester les décisions de son grand-père. Le cœur gros, elle avait permis qu'on appose sur les grilles de Windaroo les affiches de mise aux enchères. Puis, une fois le bétail parqué, elle avait mis ses effets personnels au garde-meuble et trouvé un nouveau toit pour Roy.

Quatre semaines de deuil et d'angoisse… Grand-père lui manquait, bien sûr, mais tandis qu'elle parcourait le domaine, ravivant ses souvenirs, c'est la silhouette de Gabe qui lui revenait le plus souvent en mémoire.

Depuis qu'il était parti pour Sydney, le lendemain du jour où elle avait rejeté sa demande, elle n'avait plus entendu parler de lui. Elle avait continué à partager une tasse de thé dans la vieille cuisine, tous les après-midi, avec Roy. Par une sorte d'accord tacite, ils avaient muselé leur chagrin, s'en tenant à des propos strictement utilitaires. Et elle n'avait pas eu le courage de lui poser la moindre question malgré toutes celles qui lui tournaient en tête.

Tandis qu'ils prenaient ainsi le thé, l'après-midi précédant les enchères, il poussa vers elle une assiette pleine de gâteaux.

— Tu maigris, ma petite fille. Prends-en au moins un. Il faut te remettre à manger.

Elle prit un biscuit et le porta à ses lèvres sans pouvoir en faire davantage : la simple idée de manger la rendait malade.

— Je ne peux pas, Roy.

— Je commence à me faire du souci pour toi.

— Je crois que ça ira mieux après-demain, quand tout ce cirque sera terminé, dit-elle avant de faire mine d'avaler une gorgée de thé. Oh ! Roy, pourquoi grand-père a-t-il agi ainsi ? Je ne peux pas croire qu'il désirait que nous soyons chassés de Windaroo, toi et moi ! Ni qu'un voleur de bétail s'empare du domaine familial. Car, demain, je sais bien que c'est Findley qui enchérira en dernier.

— Oui, tout ceci est bien triste.

— Je n'arrive pas à admettre qu'il ait voulu que tu t'en ailles en maison de retraite, dit-elle en se couvrant le visage de ses mains tremblantes.

— Sûrement pas.

Il y avait tant d'assurance dans la voix de Roy qu'elle en fut interloquée.

— Que veux-tu dire ?

— Il savait bien que si tu restais là, tu me garderais auprès de toi.

— Sans doute. Mais il s'est arrangé pour que ce ne soit pas possible.

Roy se pencha vers elle, au-dessus de la table.

— Il pensait que tu allais vraiment te marier. Qu'au bout d'un mois, ce serait chose faite. C'est exactement ce qu'il voulait.

— Mais comment pouvait-il penser qu'il me suffirait de claquer des doigts pour me retrouver mariée en quatre semaines ?

— Parce qu'il croyait que tu allais épouser Gabe.

— Tu veux rire, lança-t-elle, en proie à une sorte de vertige.

— Pas du tout ! Et j'ai eu beau le mettre en garde, il n'arrêtait pas de répéter que vous étiez faits l'un pour l'autre, et que tout ce dont vous aviez besoin, c'était d'en prendre conscience.

— Et quand t'a-t-il raconté ces sottises ?

— Quand Gabe t'a invitée à Wattle Park.

— Et, à moi, pourquoi ne m'en a-t-il rien dit ? lança-t-elle en ravalant les larmes qui lui brûlaient la gorge. J'aurais pu lui remettre les idées en place.

— Il croyait avoir tout prévu. Il était convaincu que, dès que Gabe connaîtrait ses dernières volontés, il te demanderait en mariage et que tout marcherait comme sur des roulettes. Je lui ai bien fait remarquer que c'était un peu trop subtil et que Gabe risquait de ne pas capter le message, mais il n'a rien voulu savoir.

Rachel se prit la tête entre les mains. Ce message, Gabe l'avait parfaitement reçu. Elle-même, depuis quatre semaines, combien de fois s'était-elle dit qu'elle avait été complètement folle de rejeter sa proposition ? L'homme qu'elle aimait l'avait demandée en mariage et elle n'avait rien trouvé de mieux à lui répondre qu'un « Non » définitif !

D'un autre côté, son grand-père aurait pu supposer qu'elle ne serait pas disposée à se marier uniquement pour régler un problème foncier. Lui qui lui avait conseillé de choisir un mari avec son cœur et pas avec sa tête.

Cette scène avec Gabe, elle l'avait revécue un million de fois. Et, à chaque fois, elle s'était demandé ce qu'il serait advenu si elle lui avait donné la moindre chance de s'expliquer au lieu de partir comme une folle. Au fond, peut-être était-il amoureux d'elle, sans vouloir le reconnaître. Peut-être manquait-elle telle-ment d'expérience qu'elle ne lui avait jamais donné le moindre signe susceptible de le lui faire admettre ?

Parfois, au contraire, elle était certaine de s'être comportée exactement comme il le fallait : Gabe ne pouvait pas l'aimer, en tout cas, pas comme un mari. Simplement, il avait eu pitié d'elle. Mais son refus avait pourtant sonné le glas de leur amitié, elle le savait, et cette pensée lui était insupportable.

Elle se leva pour rincer leurs tasses, les yeux fixés sur l'eau qui s'écoulait du robinet dans l'évier. C'est exactement ce qu'elle ressentait elle-même, comme si elle était entraînée dans un trou noir et sans fond. Son avenir.

Bien sûr, parfois, elle se sentait la force de faire des projets : avec l'argent récupéré de Windaroo, elle pourrait racheter un domaine plus modeste et un petit troupeau, tout recommencer de zéro. C'était un défi à relever. Mais, aujourd'hui, elle avait l'impression d'avoir tout perdu, tout ce qu'elle possédait, mais aussi, tout ce qu'elle aimait.

— Tu entends ce bruit ? s'enquit soudain Roy.

Au début, elle crut que c'était simplement le vent qui secouait une pièce métallique dans le garage. Mais le bruit était trop régulier et semblait se rapprocher.

— Dis donc, tu as encore l'ouïe drôlement fine pour ton âge. On dirait un hélicoptère.

— Il doit venir rassembler du bétail, je suppose. Allez, je m'en vais. Merci pour le thé. Et tâche de ne pas trop déprimer toute seule, ce soir.

— Ne t'en fais pas pour moi, assura-t-elle en se levant pour le raccompagner.

Après avoir franchi le seuil, il jeta un coup d'œil vers le ciel.

— On dirait que l'hélico vient par ici

Effectivement, le vrombissement caractéristique paraissait maintenant très proche. L'appareil survolait les étables de Windaroo.

— Il va se poser ! s'écria Roy.

Rachel sentit un long frisson la parcourir de la tête aux pieds tandis que l'hélicoptère atterrissait derrière la remise, dans un tourbillon de poussière et d'herbe sèche. Elle dut s'appuyer à un arbre car ses genoux se dérobaient sous elle.

— Je me demande qui ce peut être, dit Roy. Même si j'ai encore l'ouïe fine, je n'ai plus mes yeux de vingt ans.

— Je ne sais pas, répondit Rachel.

Mais, à travers la vitre de la cabine, avant que l'appareil ne disparaisse derrière la remise, elle avait repéré des cheveux bruns.

— Peut-être Gabe, lança Roy avec une lueur d'excitation dans le regard.

— Impossible : il est à Sydney, répliqua-t-elle, sans pouvoir réfréner les battements fous de son cœur.

— Qu'est-ce que tu attends ? Va voir qui c'est, s'exclama-t-il avec une impatience aussi soudaine qu'inhabituelle.

Machinalement, elle passa la main dans ses cheveux. S'il s'agissait bien de Gabe, que venait-il faire à Windaroo ? Les jambes tremblantes, elle traversa la pelouse en direction du pré où l'appareil avait atterri. La porte de la cabine s'ouvrit et elle vit surgir deux longues jambes moulées dans un vieux jean. Ce ne pouvait être que Gabe.

Elle eut un mouvement de panique à l'idée qu'elle portait un vieux pantalon et un T-shirt aux couleurs passées. Ses mains tremblaient tellement qu'elle crut ne jamais arriver à défaire la chaîne qui fermait la grille extérieure du jardin.

En quelques pas, Gabe l'avait rejointe, mais il s'arrêta curieusement à un mètre d'elle.

— Salut, dit-il doucement.

— Salut.

Ni l'un ni l'autre ne sourit.

— Comment ça s'est passé ?

— J'ai eu beaucoup à faire.

— Je suis venu te montrer mon nouveau joujou, dit-il en esquissant un sourire.

— Il est absolument magnifique.

— C'est pour mon entreprise de regroupement de bétail.

— Et où cela se fera-t-il ?

— Dans ce secteur.

L'ironie cruelle de la situation lui fit esquisser un sourire amer. Demain elle allait partir, alors même qu'il était de retour.

— Tu veux venir faire un tour ? Tu sais, je suis un pilote de confiance. Je te promets d'être parfaitement sage. Allez, viens donc, ajouta-t-il avec un sourire.

126

Quand il souriait ainsi, il devenait irrésistible. La tentation était trop forte. Pendant des années, elle se l'était imaginé aux commandes d'un hélicoptère... Quand il se dirigea vers l'appareil, elle ne put s'empêcher de le suivre.

Une fois attachée à son siège, elle examina avec curiosité le tableau de bord.

— Comment peux-tu arriver à te rappeler la fonction de chaque cadran, de chaque instrument ?

— Ce n'est pourtant qu'un petit coucou tout simple. Tu aurais dû voir l'intérieur des Black Hawks sur lesquels j'ai volé !

— Ils étaient si grands que ça ?

— Dans cet appareil, il y a deux places maximum. Un Black Hawk peut accueillir un équipage de trois personnes, plus onze hommes avec leur équipement ou quatre civières. Et il vole à cent soixante miles à l'heure.

Dans sa voix, elle perçut un mélange d'orgueil et de nostalgie douloureuse. C'était une part de la vie de Gabe qui la fascinait, mais qu'elle n'avait jamais pu partager ni même connaître.

Soudain, elle aperçut, fixé au tableau de bord, un objet qu'elle reconnut immédiatement. Un aigle en argent aux ailes déployées. Elle ne put retenir un cri de surprise : le cadeau qu'elle lui avait fait pour ses dix-huit ans, quand il s'était engagé !

— Tu as gardé mon aigle, murmura-t-elle.

— Bien sûr. C'était même notre mascotte, notre gri-gri. On l'appelait Rachel, comme toi. Jamais nous n'aurions décollé sans lui, mon équipage et moi.

Ainsi, pendant toutes ces années, Gabe avait volé avec cet aigle. Cela ne voulait rien dire. Pourtant...

— Tu es prête à décoller ? lança-t-il.

Elle avait beau se sentir émue, elle n'en répondit pas moins d'une voix ferme.

— Tout à fait. Tu peux y aller, capitaine Rivers !

Tandis que le sol s'éloignait sous leurs pieds, elle se raidit dans son siège, détournant légèrement la tête pour éviter de voir l'extérieur.

— Dis donc, tu vas tout rater.

— J'ai un peu mal au cœur, expliqua-t-elle en se forçant à regarder à travers la vitre.

— Je vais garder la même altitude pendant un moment. Tu verras, ça ira mieux.

— Oui, je me sens bien, maintenant. Regarde ce moulin à vent dans le pré, juste en-dessous. Il a beau être vieux, il fonctionne encore parfaitement.

D'ici, tout son petit monde familier, bâtiments agricoles, moulins et parcs à bestiaux, ressemblait à un ensemble de minuscules jouets de plastique coloré. Windaroo, son univers qu'elle allait devoir quitter à jamais...

Comment Gabe aurait-il pu s'attendre à ce qu'elle profite pleinement de cette balade ?

— Je n'ai jamais vraiment compris comment fonctionnent les hélicoptères, dit-elle dans un effort pour s'arracher à ces pensées moroses.

Dans les minutes qui suivirent, elle tenta de se concentrer sur les explications de Gabe concernant les pales, rotors et turbines, mais le cœur n'y était pas. Tandis que l'appareil décrivait des cercles au-dessus du domaine, elle identifiait chaque bouquet d'arbres, chaque prairie, chaque bâtiment, chaque troupeau.

Mais c'était trop dur, et, une fois de plus, elle dut faire un effort surhumain pour ravaler ses larmes.

Soudain, abandonnant Windaroo, Gabe se mit à suivre la rivière sur quelques kilomètres jusqu'au confluent de Horseshoe Bend.

— Tu te souviens quand nous avons campé ici ? demanda-t-il.

Comment aurait-elle pu l'oublier ? Bien des années plus tôt, ils y étaient venus à cheval avec Jonno pour camper pendant toute une semaine, au bord d'un étang. De l'aube au crépuscule, ils avaient nagé, pêché et battu la campagne alentour. La nuit venue, ils s'asseyaient autour du feu, tout en surveillant la cuisson du poisson. Rachel avait confectionné une sorte de pudding avec de la pâte et des raisins qu'ils avaient fait cuire et mangé brûlant. Puis ils s'étaient raconté d'horribles histoires de fantômes, rivalisant à celui qui effraierait le mieux les autres. Les meilleures vacances de sa vie…

— Gabe ! Ramène-moi à la maison, s'écria-t-elle soudain.

Elle ne pouvait en supporter davantage. C'était sa vie tout entière qui défilait au-dessous d'elle, comme si elle était sur le point de se noyer. Se noyer dans ses souvenirs et dans son désespoir.

— Pourquoi agis-tu ainsi ? poursuivit-elle. Pourquoi me forces-tu à revivre tous ces moments de bonheur alors que demain j'aurai tout perdu, et que tu le sais bien ?

— Désolé. Je voulais seulement te faire découvrir le domaine d'en haut, se contenta-t-il de dire en faisant faire demi-tour à l'appareil.

Pendant l'atterrissage, Rachel, les larmes aux yeux, garda les deux mains crispées sur son estomac, se répétant qu'elle s'était comportée comme une lavette. Si elle avait eu un peu de cran, elle aurait remercié Gabe pour sa proposition et prétendu être bien trop occupée aujourd'hui pour l'accepter.

— Je regrette que la balade ne t'ait pas plu, dit-il après s'être posé. Bien sûr, voler demande un peu d'habitude.

— Ça n'a rien à voir ! Tu n'avais certainement pas oublié que Windaroo doit être vendu demain ?

— Si, répondit-il en rougissant jusqu'à la racine des cheveux.

En le voyant s'empourprer, elle se sentit prise de remords.

129

— Excuse-moi. Je t'ai quitté si vite, la dernière fois…

— Pas du tout. Ta réponse était parfaitement justifiée. C'est moi qui te dois des excuses.

Des excuses ! Pour ne pas l'aimer, peut-être ?

Elle détourna le regard. Au loin, derrière l'hélicoptère, les ombre des étables s'allongeaient maintenant. Bientôt, la nuit allait tomber. Sa dernière nuit à Windaroo. Demain tout serait fini.

Si du moins ses relations avec Gabe avaient pu rester les mêmes que naguère… Alors, elle n'aurait pas hésité à lui proposer de passer cette soirée auprès d'elle, en toute amitié. Et le lendemain, il l'aurait accompagnée à la vente pour la soutenir.

— Merci pour la promenade, Gabe.

Il hocha la tête, l'esprit visiblement ailleurs, tandis qu'elle descendait de l'hélicoptère.

Le soleil couchant lançait ses derniers rayons dorés à travers les arbres pendant qu'elle traversait le pré à grandes enjambées. En arrivant au perron, elle se rappela qu'elle avait négligé de refermer la grille. Ça montrait bien dans quel état l'avait mise l'arrivée de Gabe !

Au loin, elle entendit démarrer le moteur de l'hélico. Sans se retourner pour le voir décoller, elle se hâta vers sa maison obscure et vide.

13.

La vente avait été fixée à onze heures du matin.

A dix heures, Karl Findley et sa femme débarquèrent pour visiter les lieux. En examinant la cuisine, Mme Findley fit la grimace : elle la trouvait vraiment vieillotte à son goût et il manquait un lave-vaisselle.

Quand Roy arriva, il hocha la tête en remarquant le visage blême et les yeux cernés de Rachel. Evidemment, elle n'avait pas dormi de la nuit.

— Comment te sens-tu ? s'enquit-il.

— Horrible. Je me demande comment je pourrai supporter de rester là assise…

— Tu n'y es pas obligée.

— Si. Même si c'est très éprouvant pour moi, je veux savoir comment la vente va se dérouler.

— Comment allait Gabe ?

— Bien

— Il va venir, ce matin ?

— Je ne crois pas. C'est gentil à toi d'être là.

— On dirait qu'il y a du monde qui arrive, remarqua-t-il en lui montrant un nuage de poussière, au loin, sur la piste.

— Le commissaire-priseur m'a dit que les gens venaient souvent par simple curiosité. Allez, dans une heure, ce sera fini.

Ils passèrent la demi-heure suivante assis sous le manguier, devant la maison. Rachel préférait éviter l'intérieur où les visites se poursuivaient.

A onze heures, plus d'une douzaine de véhicules stationnaient déjà devant la remise. Le commissaire-priseur avait installé quelques chaises sur la pelouse, à l'ombre du jacaranda, près du perron, exactement à l'endroit où le mariage des parents de Rachel avait été célébré. Lui-même choisit de s'installer sous la véranda d'où il pourrait parfaitement observer son auditoire.

Karl Findley s'était assis au premier rang, les mains croisées sur sa bedaine de buveur de bière, après avoir adressé à Rachel un petit sourire satisfait. Si seulement elle pouvait le lui faire ravaler à coups de poing ! A côté de lui se tenait son épouse, une maigrichonne qui n'arrêtait pas de lancer autour d'elle des regards apeurés.

Rachel et Roy avaient pris place au dernier rang. Parmi l'assistance, elle avait reconnu quelques têtes mais la plupart de ces gens lui étaient totalement inconnus. Pourtant, dans une heure, l'un d'eux serait le nouveau propriétaire de Windaroo.

Elle se sentait au bord du malaise. A côté d'elle, Roy ne cessait de se racler la gorge et de croiser et décroiser les jambes.

— J'aurais bien cru que Gabe viendrait, lança-t-il.

En guise de réponse, elle se contenta d'esquisser un geste de dénégation.

Sous la véranda, le commissaire consulta un instant ses papiers avant de déclarer d'une voix forte :

— Mesdames et messieurs, voilà soixante ans que la propriété de Windaroo se trouve aux mains de la famille Delaney. Tout le monde parmi vous connaît sa superficie, ses capacités de production, son cheptel et son état, mais, si vous désirez que j'entre dans le détail, il vous suffit de lever la main.

Personne ne broncha.

132

— Dans ce cas, je vais procéder de la façon suivante. Windaroo a été estimé à…

Soudain, derrière elle, Rachel entendit un bruit de moteur et de pneus dérapant sur le gravier, tandis que le commissaire s'arrêtait, l'air surpris. Toutes les têtes se retournèrent et Roy poussa un cri de surprise à la vue de Gabe qui descendait de sa voiture avant de traverser la pelouse à longues enjambées.

— Bonjour, dit-il en s'asseyant sur une chaise vide, juste à côté de Rachel.

— Salut, répondit-elle sans parvenir à esquisser même un sourire.

— Comme je le disais, reprit le commissaire en fronçant les sourcils, cette propriété est évaluée entre neuf cent mille et un million de dollars.

— J'ai pensé qu'un peu de soutien ne te ferait pas de mal, chuchota Gabe.

— Merci.

— La mise à prix est de sept cent mille dollars, reprit le commissaire. Quelqu'un est-il intéressé ?

Karl Findley leva une main aux doigts boudinés.

— J'ai un acquéreur à sept cent mille. Quelqu'un veut-il pousser à sept cent cinquante ?

Rapidement, les enchères atteignirent neuf cent cinquante mille dollars. Raide sur sa chaise, Rachel se sentait incapable de calmer les battements fous de son cœur. Jamais elle n'aurait dû assister à cette horreur.

— Neuf cent cinquante mille, continua le commissaire. Qui dit mieux ?

Elle perçut un mouvement discret sur la chaise de droite.

— Neuf cent soixante-dix mille ? Pour monsieur ?

Gabe venait de lever un doigt. Rachel sursauta.

— Mais qu'est-ce que tu fais ? Tu es fou !

Il ne détourna pas la tête.

— Neuf cent soixante-dix mille pour notre nouvel enché-risseur, au fond.

Le regard de Gabe était toujours fixé sur le commissaire. En l'observant, Rachel remarqua de fines gouttes de sueur sur sa lèvre supérieure, tandis que les enchères se poursuivaient imperturbablement.

Maintenant, la bagarre était engagée entre Gabe et Findley, le voleur qui s'était engraissé en volant le bétail des autres. Et on en était à un million de dollars.

— Jusqu'où vas-tu aller ? souffla Rachel.

— Cent. C'est ma limite, murmura-t-il.

— Un million. Qui dit mieux ? Un million cinquante pour monsieur. J'ai maintenant une offre à un million cent par la personne du fond.

Rachel sentit la main de Roy qui cherchait la sienne. Findley allait-il enchérir à nouveau ?

— Un million cent cinquante au premier rang.

Elle eut l'impression que les gros doigts de Findley lui broyaient le cœur. La main de Roy se crispa sur la sienne.

— Un million deux, au fond.

— Gabe, mon Dieu, c'est impossible ! chuchota la jeune femme.

Il n'y eut pas de réponse.

Le regard du commissaire se tourna vers Findley.

— Un million deux cent cinquante près de moi, lança-t-il d'une voix plus aiguë dans un silence de mort. Quelqu'un veut enchérir à un trois pour le domaine de Windaroo ?

Maintenant, il était clair que la valeur de la propriété était nettement dépassée. La tension devenait insupportable.

— Un million deux cent cinquante, une fois, un million deux cent cinquante, deux fois. J'ai une offre à un million trois, au fond.

Soudain, Mme Findley bondit sur ses pieds au premier rang en hurlant :

— Si tu vas plus loin, Karl, tu ne me reverras plus. Jamais.

Puis elle se baissa pour murmurer quelque chose à l'oreille de son mari avant de se ruer vers sa voiture.

La nuque de Findley vira au rouge brique tandis qu'un murmure de stupéfaction parcourait la foule.

La voix du commissaire s'éleva à nouveau.

— Nous en étions à un million trois. Monsieur veut-il pousser l'enchère ? demanda-t-il à Findley qui secoua piteusement la tête. C'est votre dernière chance, mesdames et messieurs. Un million trois cent mille dollars une fois, un million trois cent mille dollars deux fois, un million trois cent mille dollars, trois fois. Windaroo est adjugé à la personne du dernier rang.

Rachel eut exactement la même sensation que lors de sa plus terrible chute de cheval, quand elle avait onze ans. Le souffle coupé, elle était restée allongée sur le sol, paralysée, muette.

Autour d'elle, les gens se levaient, lui souriaient. Roy lui tapotait gentiment le dos. Mais elle n'avait d'yeux que pour Gabe qui remontait vers la véranda, en direction du commissaire. Les deux hommes échangèrent quelques mots tout en regardant dans sa direction.

— Incroyable ! s'exclama Roy. Alors, comme ça, Gabe a racheté Windaroo. Pour te l'offrir !

— Qu'est-ce que tu racontes ? C'est ridicule.

— Bien sûr que c'est pour te l'offrir, dit le vieil homme en la prenant par l'épaule tandis que Gabe redescendait lentement vers eux. Et tu ne vas pas le remercier ? Si je peux me permettre un conseil avant de vous laisser tous les deux, il me semble qu'un petit geste de gratitude ne serait pas déplacé…

A peine avait-il tourné le dos que Rachel, levant les yeux, aperçut le visage de Gabe qui lui souriait.

— Marché conclu, murmura-t-il. Windaroo est à nous.

— Comment ça « à nous » ?

— Eh bien, nous, je veux dire Rachel Fleur O'Malley et Gabriel Martin Rivers, sommes propriétaires conjoints de Windaroo Pastoral Company.

— Je ne comprends pas. Un million trois ! Alors que tu viens juste d'acheter un hélico. C'est de la folie !

— Pas tout à fait : il me restait ma solde de l'armée et quelques petits placements.

— Tu ne veux pas parler de tes parts d'Edenvale, j'espère ?

— Quelle importance ?

— Mais tu as dépassé ta limite de deux cent mille dollars.

— L'immobilier à Sydney est en train d'exploser. Je peux vendre mon appartement quand je veux.

— Mon Dieu, Gabe ! Quand je pense que tu aurais pu garder ton argent et partager cette propriété avec moi pour rien, si seulement j'avais accepté de t'épouser ! s'exclama-t-elle en se cachant le visage entre les mains.

Doucement, il lui prit les poignets pour la contraindre à le regarder en face.

— Ne te fais pas trop de bile pour moi, mon petit épi de maïs. Cet argent, j'ai bien l'intention de le récupérer un jour.

— Et comment ?

— Et si tu m'invitais à entrer pour que nous puissions tranquillement en discuter ? dit-il en se dirigeant vers la véranda.

Tandis qu'elle le suivait, le cœur battant, et qu'elle le voyait refermer soigneusement la porte et les rideaux, elle se demanda quel genre de discussion ils allaient avoir. Debout au milieu du salon, les mains sur les hanches, Gabe semblait emplir toute la pièce de sa haute silhouette massive.

D'un geste, elle l'invita à s'asseoir mais, en deux enjambées, il était tout prêt d'elle. En sentant le poids de ses mains sur ses épaules, elle crut qu'elle allait défaillir.

— Que se passe-t-il, Gabe ?

— Eh bien, rien de particulier. Je crois seulement que je vais t'embrasser, dit-il en l'attirant à lui d'un geste possessif.

— Comment ? lança-t-elle en s'écartant brutalement. Tu as sûrement acheté Windaroo mais ça ne veut pas dire que tu m'aies achetée, moi.

Sa voix se brisa tandis que, malgré sa protestation, il la serrait à nouveau contre lui, tout en prenant son visage entre ses mains.

— Fais-moi confiance, souffla-t-il.

Qu'avait-elle fait d'autre, tout au long de sa vie passée ?

— Laisse-moi m'expliquer à ma façon, murmura-t-il en posant sa bouche sur celle de la jeune femme.

A sa façon ! Il lui semblait qu'il la dégustait tout entière, de sa bouche tendre et chaude…Et au fur et à mesure que ses lèvres s'ouvraient davantage, c'était comme si une aurore s'était levée en elle, d'abord pâle puis de plus en plus vermeille, brûlante. Elle aurait voulu que ce baiser ne s'arrête jamais.

— Rachel, dit-il enfin. Je veux que tu gardes Windaroo.

— Pourquoi ? Je n'y comprends toujours rien.

— Tu vas comprendre.

A nouveau, il la serra contre lui, mais cette fois avec une espèce de violence, parcourant de ses doigts son visage et son corps, l'embrassant inlassablement, tandis qu'en elle se creusait une sorte de vertige intérieur, délicieusement intense, un désir presque sauvage.

Elle l'agrippa aux épaules pour se lover plus étroitement contre lui, regrettant, dans son impatience fiévreuse, la présence entre eux de tant de jean froissé.

Il laissa doucement errer ses lèvres sur le cou de la jeune femme et sur sa gorge, à la limite de son chemisier entrebâillé.

— Je te voudrais toute à moi, murmura-t-il dans un souffle.

137

Du bout des doigts, il lui prit le menton pour la forcer à le regarder en face. Dans ses yeux vert sombre largement ouverts et encadrés de longs cils bruns, elle put lire une émotion profonde qui la bouleversa.

— Il faut que je te montre quelque chose, chuchota-t-il, en déboutonnant rapidement sa propre chemise, avant de l'écarter d'un brusque mouvement d'épaule.

Elle ne put s'empêcher de sursauter. Gabe avait toujours possédé un corps d'athlète, mince et puissant. Son passage dans l'armée avait encore accentué cette harmonieuse musculature.

Mais l'accident avait laissé des traces.

Un sillon profond, d'un rouge presque violet, courait du haut de son bras droit à son cou, le long de son épaule. Au niveau des côtes, mais à gauche, elle aperçut une autre cicatrice, courte et large. Instinctivement, elle y posa légèrement les doigts avant de lever les yeux.

Le visage de Gabe reflétait un tel malaise, une telle vulnérabilité, que les larmes montèrent aux yeux de Rachel. Sans réfléchir, elle pressa ses lèvres contre la boursouflure violâtre.

— Rachel ! lança-t-il d'une voix qui se brisa aussitôt.

Doucement, elle posa la tête contre le torse de Gabe dont le cœur battait follement.

— Tu croyais que j'allais me laisser impressionner par deux malheureuses cicatrices !

— Il fallait que je sois sûr.

— Comme si ça pouvait changer quoi que ce soit…

Il la reprit dans ses bras et elle sentit enfin l'infinie douceur de sa peau nue tout contre elle tandis que leurs bouches se cherchaient avidement.

Quand leur baiser prit fin, ils étaient à bout de souffle.

— Maintenant, je vais ôter mon jean. Je veux que tu saches tout, que tu aies tout vu, dit-il d'une voix presque suppliante, en se débarrassant de ses bottes et de ses chaussettes avant de défaire sa ceinture.

En d'autres circonstances, sans doute aurait-elle détourné les yeux. Mais dans son cœur, la pudeur cédait à l'honnêteté. Elle le sentait trop vulnérable pour ne pas se montrer parfaitement loyale.

En apercevant ses jambes, elle eut un mouvement de recul. La droite était dans un état épouvantable : du tibia à la cheville, ce n'était qu'une masse de chair pourpre et boursouflée. Quand elle était allée le voir, à l'hôpital, ses cicatrices étaient encore dissimulées sous un plâtre. Elle se sentit prise d'une sorte de colère froide, irrépressible, vis-à-vis du chauffard imbécile qui était responsable de toute cette douleur. Alors que Gabe était sorti indemne de tant de missions dangereuses…

Les yeux de la jeune femme se remplirent de larmes tandis qu'il serrait les poings avec une incroyable violence.

— Maintenant, tu sais, lança-t-il d'une voix rauque en détournant la tête. Tu as vu dans quel état je suis. Un homme diminué, brisé.

— Aucune cicatrice ne saurait te briser, Gabe, dit-elle en ravalant ses larmes et en posant sa bouche sur son épaule meurtrie. Je te trouve magnifique, comme ç'a toujours été le cas.

Doucement, elle caressa du bout des doigts le torse et les épaules aux lignes puissantes.

— Tu es parfait. Et tu me plais de plus en plus.

— Vraiment ? demanda-t-il avec un timide sourire.

— Vraiment. Alors, je t'en prie, maintenant peux-tu m'expliquer la signification de ton geste ?

14.

Gabe n'arrivait pas à comprendre comment il pouvait se sentir à ce point nerveux. Survoler la Somalie de nuit pour le compte des Nations unies lui avait paru beaucoup plus facile que d'affronter Rachel.

Tout se jouait en cet instant. Son cœur. Sa vie.

Lorsque la jeune femme l'avait quitté brutalement, rejetant sa maladroite demande en mariage, il avait dû regarder la vérité en face. Inutile de prétendre que Rachel était encore une enfant pour qui il éprouvait, comme naguère, une sorte d'affection fraternelle.

Certes, le changement s'était fait en lui bien plus tôt, quand elle lui avait parlé de la nécessité de trouver un mari. Mais alors, il avait refusé de s'avouer qu'il la voulait pour lui, s'efforçant de se dissimuler la force de ses sentiments et de son désir, sans penser à ce qu'elle pouvait elle-même ressentir. Et il avait eu la stupidité de croire qu'elle accepterait le mariage qu'il lui avait proposé de la manière la plus froide et la plus impersonnelle !

Blessé par son refus, il s'était enfui à Sydney. Sa mère avait eu parfaitement raison : cet éloignement avait été des plus bénéfiques. Dès qu'il était parti, sa vie lui était apparue cruellement vide et il avait compris la vérité : jamais il ne pourrait être heureux sans Rachel. Il ne lui restait donc plus qu'à espérer qu'elle partage ses sentiments.

Mais elle lui avait opposé trop de refus pour qu'il ne se sente pas envahi par le doute. Cette fois, il ne supporterait plus l'échec. Et, maintenant, son cœur battait à tout rompre et ses doigts tremblaient fort tout en suivant la courbe délicate de sa joue.

— Je t'aime, dit-il d'une voix forte, mais la gorge serrée.

Elle eut un mouvement de surprise qu'il ne sut comment interpréter.

— J'ai eu tout faux, ces derniers temps, poursuivit-il. J'aurais dû t'avouer ce que je ressentais au lieu de te proposer de t'épouser de l'autre bout de la pièce.

— Es-tu en train de me demander à nouveau en mariage ? demanda-t-elle dans un souffle, incrédule.

Au grand soulagement de Gabe, elle ne protesta pas quand il la prit dans ses bras.

— La vérité, Rachel, c'est que j'ai besoin de toi, dit-il en lui effleurant les lèvres. Maintenant et pour toujours. Besoin de ton corps et de ton cœur. Je te désire et je t'aime.

— Gabe ! s'exclama-t-elle en nouant ses bras autour de son cou tout en cherchant avidement sa bouche.

Ce n'est qu'en sentant des larmes sur les joues de la jeune femme qu'il s'arracha à son étreinte.

— Rachel, il y a quelque chose qui ne va pas ? questionna-t-il.

Avec un timide sourire, le rose aux joues, elle défit le premier bouton de son corsage.

— Tu as eu tant de mal à me montrer tes cicatrices, alors que toi, tu ne sais rien de mon corps !

Comme s'il n'en connaissait pas chaque courbe, chaque ligne, chaque rondeur, depuis des semaines qu'il l'observait, les sens en émoi ! Sans doute aurait-elle été surprise et choquée de savoir combien de fois il l'avait avidement contemplée, imaginée et désirée…

— Mon amour, tu n'as pas besoin…

— C'est mon tour, coupa-t-elle. Je veux que tu saches tout de moi avant que nous nous mariions.

Elle se débarrassa rapidement de son chemisier, laissant apparaître ses seins pâles et délicats avant de relever la tête, rougissante, pour affronter son regard. Adorable, se dit-il, dans son mélange de simplicité et de grâce fragile. Sa Rachel de toujours.

Depuis dix ans, il avait connu bien des femmes mais aucune ne lui avait paru si désirable.

Rapidement, elle acheva de se déshabiller, faisant glisser son jean sur ses hanches minces. Gabe la dévorait du regard, fasciné par la féminité de ce corps qu'il découvrait enfin. Il fut troublé de découvrir, au creux de sa taille un petit fer à cheval bleu qui ressortait sur sa peau très blanche.

— Tu as un tatouage, remarqua-t-il.

— Ça t'ennuie ?

— Tu veux rire ! Je l'adore, dit-il en suivant du doigt le minuscule dessin avant d'y poser ses lèvres. Quand l'as-tu fait faire ?

— Quand j'avais seize ans. Tu ne te rappelles pas que j'étais venue me plaindre que grand-père ne voulait pas me le permettre. Eh bien, tu as eu beau me dire qu'il avait raison, pour une fois, je me suis entêtée.

— Michael était au courant ?

— A part mon médecin, aucun homme ne l'a jamais vu.

— Quel honneur pour moi !

— Je suis contente qu'il te plaise parce que je le garderai toujours, même quand je serai une vieille dame de quatre-vingts ans.

— Dois-je comprendre que tu acceptes de te marier avec moi ?

— Comment peux-tu en douter ? s'exclama-t-elle en se jetant dans ses bras. Tu n'as donc pas compris que j'étais folle de toi ? Sinon pourquoi me serais-je montrée toute nue ? Bien sûr que j'accepte. Oui ! Oui ! Oui ! Mille fois oui !

Enfin il était à elle ! Son Gabe, merveilleux et magnifique. Avec ses bras puissants, sa bouche sensuelle, ses mains douces et fortes qui la caressaient, la serraient.

A chaque instant, c'était comme une flamme intérieure qui s'allumait en elle, dévorante et presque effrayante dans son intensité.

— Faisons l'amour, Gabe. Je t'en prie.

Le souffle court, les yeux troublés, il eut encore la force de murmurer :

— Tu es sûre ?

Elle se contenta d'incliner la tête. Entre ses mains, il prit ce visage tant désiré pour le couvrir de baisers passionnés.

— Tu ne peux pas savoir combien je t'aime, chuchota-t-il.

Puis, passant un bras sous ses épaules et l'autre sous ses genoux, il la souleva comme une plume et l'emporta, tout étourdie vers sa petite chambre verte et blanche. Une brise légère soulevait les rideaux.

Lorsqu'elle reprit pied à terre, elle leva vers lui un regard plein de désir mais légèrement anxieux :

— Je suppose que tu ne t'attends pas à ce que je prenne l'initiative. J'aurai besoin de ton aide, tu sais.

— Tu es adorable, murmura-t-il avec un sourire plein de tendresse. L'essentiel, c'est ce que nous éprouvons l'un pour l'autre. Comment te sens-tu ?

— Amoureuse. Pleine de désir.

— Tout comme moi, dit-il en se penchant sur elle pour l'embrasser longuement sur les lèvres.

Une fois encore, elle sentit comme une étrange brûlure tandis que la bouche de Gabe parcourait fiévreusement son visage, s'attardant sur ses paupières et ses tempes avant de descendre sur son cou, sa poitrine, au creux de son ventre. Ses mains devenaient plus nerveuses, plus exigeantes. Rien de plus naturel, de plus doux que de lui rendre ses caresses et ses baisers. Elle avait l'impression de flotter sur un nuage tiède et suave, de s'y dissoudre, presque.

— C'est si bon, Gabe. Exactement comme tu me l'avais dit.

— Comment, comme je t'avais dit ?

— Tu sais bien, quand tu me parlais du toucher et du goût.

— C'est vrai, acquiesça-t-il en lui caressant délicatement le bout des seins jusqu'à ce qu'elle pousse un léger gémissement de plaisir.

— Tu aimes ?

— Bien sûr. Je voudrais que tu ne t'arrêtes jamais.

Le souffle court, il fit glisser le soutien-gorge, révélant sa poitrine gracieuse et pâle.

— Ils sont si petits, n'est-ce pas ? murmura-t-elle.

— Ils sont magnifiques, chuchota-t-il en laissant ses lèvres errer sur la peau tiède qu'il venait de dénuder.

Elle avait l'impression qu'une flamme parcourait son corps tremblant de désir, creusant un vide presque douloureux au centre de son être. Elle aurait voulu se fondre en lui. Sans s'écarter, elle l'entraîna vers le lit.

— Je te veux ici, tout de suite, balbutia-t-elle. Et je n'ai pas peur.

— Moi si, répondit-il d'une voix brisée par l'émotion. Pour moi, c'est comme si c'était aussi la première fois.

— Ne crains rien, dit-elle en lui caressant doucement les lèvres du bout des doigts. Je te désire du fond du cœur.

144

Debout devant la grande psyché ovale de l'ancienne chambre de son grand-père, Rachel enfila en souriant les boucles d'oreilles de perles et de diamants qui avaient appartenu à sa mère avant de jeter un coup d'œil attendri au bouquet de roses d'un blanc crémeux, à peine rosé, posé sur le grand lit.

Elle n'avait pas eu besoin d'April pour choisir sa robe de mariée, toute simple avec son corsage ajusté, sans manches, et sa large jupe romantique en soie. Dès qu'elle l'avait vue, elle avait été séduite et l'image que lui renvoyait maintenant le miroir lui confirmait qu'elle ne s'était pas trompée.

Au poignet, elle portait le cadeau de Gabe, une fine chaîne d'or ornée d'une breloque de saphir en forme de fer à cheval.

— J'espère qu'il te portera chance, avait-il déclaré en lui offrant le bijou. Comme mon aigle qui ne me quittera jamais.

Tout en se remémorant la scène, elle prit le bouquet sur le lit avant d'apercevoir Roy debout dans l'encadrement de la porte, les yeux brillants d'émotion contenue.

Il portait un costume sombre flambant neuf et ses cheveux clairsemés étaient soigneusement plaqués sur son crâne.

— Roy ! Quel costume magnifique ! Tu es superbe.

— Merci, dit-il en sortant de sa poche un vaste mouchoir blanc avec lequel il s'essuya discrètement les yeux avant de se moucher bruyamment. C'était précisément ce que j'étais en train de me dire à ton sujet.

— J'espère que Gabe sera de ton avis.

— Bien sûr. Il va en avoir le souffle coupé, je te le dis. C'est Michael qui aurait été fier en te voyant !

La gorge de Rachel se serra brusquement et elle dut respirer profondément pour ne pas se laisser submerger par l'émotion.

— Tu sais, j'ai beaucoup pleuré cette nuit, en pensant à grand-père et à mes parents. J'aurais tant voulu qu'ils soient là. Mais maintenant, il me faut regarder vers l'avenir.

— Tu as raison. Excuse-moi. D'ailleurs, je t'apporte des nouvelles qui ne vont pas te déplaire, je crois.

— De quoi s'agit-il ?

— Hier, la police a arrêté Karl Findley pour une affaire qui s'est déroulée dans l'Ouest. On le recherche dans le Kimberley pour un trafic de bétail volé. Il m'a presque fallu ligoter Gabe pour l'empêcher de se précipiter ici et te l'annoncer lui-même.

— Alors, tu l'as vu ?

— Mais oui, il est là. Et il a du mal à tenir en place.

— Comment est-il ?

— Magnifique. Beau comme un acteur de cinéma. Quand tu le verras, tu vas sauter au plafond.

Ils échangèrent un sourire complice. Durant les six dernières semaines, Gabe avait passé beaucoup de temps à Windaroo si bien que Roy avait pu constater à quel point ils étaient amoureux l'un de l'autre.

— J'ai aperçu quelques minettes assez sophistiquées dehors, d'anciennes collègues de Gabe quand il était à l'armée, je suppose. D'après leur accent, il y en a même qui doivent venir des Etats-Unis. De vraies poupées Barbie…

— Vraiment ? répondit Rachel en sentant un frisson glacé parcourir son échine.

Gabe lui avait juré qu'elle plairait certainement beaucoup à ses amis. Quant à sa mère, Eleanor, elle lui avait confirmé que le traiteur de Mullinjim avait la situation bien en main. Il fallait qu'elle reste calme, se dit-elle. Calme et heureuse. Imperturbablement sereine.

— Dis-moi si mon voile est bien droit, Roy.

Lentement, il tourna autour d'elle, l'examinant sous tous les angles.

— Autant que je puisse en juger, c'est impeccable. Mais je ne suis pas un spécialiste, mon poussin, dit-il la gorge nouée. Pourvu que, moi, je ne commette pas d'impair !

— Ne t'en fais donc pas, tu seras parfait. Il te suffira de me prendre le bras pour descendre les marches du perron jusqu'au jacaranda où Gabe m'attendra. Après, ce sera l'affaire du Révérend Parker, dit-elle en essuyant le visage moite d'émotion du vieil homme avec un mouchoir avant de lui planter un petit baiser sur la joue. Je suis si contente que ce soit toi qui m'accompagnes !

— Tout l'honneur est pour moi, Rachel. Je suis tellement fier de toi.

— Alors, allons-y, c'est l'heure ! dit-elle après avoir jeté un coup d'œil à la pendulette posée sur la table.

Un sourire timide aux lèvres, Roy lui offrit cérémonieusement son bras sur lequel elle posa le sien.

Sans voir les invités qui se pressaient sous la véranda, elle descendit les marches du perron, les yeux fixés sur Gabe qui se tenait devant le jacaranda en pleine floraison. Comme il détournait légèrement la tête, encore inconscient de sa présence, elle put observer un instant à la dérobée sa haute silhouette que son habit noir mettait en valeur. Son teint hâlé et sa chevelure brune ressortaient élégamment sur la blancheur éclatante de sa chemise. Un homme superbe.

Au premier accord de la *Marche nuptiale*, interprétée par un quatuor à cordes, il tourna la tête et aperçut Rachel. Son visage s'éclaira de ce sourire qui la troublait tant. Un sourire qui évoquait à la fois le bonheur de l'enfance passée et les promesses de l'avenir. Furtivement, tandis que Roy la conduisait vers Gabe, elle caressa du doigt le petit fer à cheval de saphir qui ornait son bracelet tout neuf.

Épilogue

A grandes enjambées dans ses bottes couvertes de poussière rouge, Gabe regagnait la vaste maison basse. Windaroo. Son foyer. Avec sa véranda très plate, de loin on aurait dit un chien gigantesque, gardant dans l'ombre le bush surplombé d'un large ciel bleu presque aveuglant.

Derrière lui, au bord de la rivière, un groupe d'oiseaux jacassait à grand bruit. Une odeur de terre fraîchement labourée, provenant d'un champ tout proche, emplit ses narines. Une vague de bonheur le submergea soudain.

Cette impression d'être à sa place sur cette terre venait souvent le prendre ainsi, presque par surprise. Mais cela voulait dire aussi qu'il y vivait avec Rachel, ce qui changeait tout.

Il entra dans la maison et prit une douche rapide. La table était dressée dans la salle à manger : sur une nappe damassée étincelaient le service de porcelaine et l'argenterie qu'ils avaient reçus en cadeaux de mariage ; au centre, un bouquet de roses rouges. Se souvenant qu'on devait fêter ce soir l'anniversaire de sa mère, dont c'étaient les fleurs préférées, il se dirigea vers la cuisine.

En l'entendant, Rachel, qui se tenait devant l'évier occupée à équeuter des fraises, se retourna en souriant, les yeux brillants de joie. Une bouffée d'amour envahit le cœur de Gabe. Depuis qu'ils étaient mariés, il ne s'était pas passé un jour sans qu'il remercie le ciel de la lui avoir donnée.

— Tout est absolument magnifique. Et ça sent délicieusement bon, s'exclama-t-il en grappillant une fraise dans le plat. Que nous as-tu préparé ?

— Une salade composée, des côtelettes d'agneau à la menthe avec une purée de pommes de terre. Et, comme dessert, un fraisier. J'ai essayé de faire de mon mieux : ce sont les plats favoris de ta mère.

— Elle pourrait avoir plus mauvais goût, dit-il en posant les mains sur les épaules de Rachel avant d'enfouir son visage au creux de son cou.

Comme il cherchait à attraper une autre fraise, la jeune femme lui donna une petite tape sur les doigts.

— Bas les pattes ! Après le passage de Roy et de Bella, j'ai besoin de toutes les malheureuses fraises qui me restent pour ce gâteau.

— Pas question pourtant que je garde mes mains dans mes poches, murmura-t-il en l'étreignant de plus belle et en caressant doucement son petit ventre rond. Comment va ma future maman adorée ?

— En ce moment, elle déborde d'énergie, dit-elle en se tournant vers lui. C'est pourquoi j'ai préféré que nous fêtions l'anniversaire de ta mère aujourd'hui, avant qu'il ne soit trop tard. Je me sens exactement comme la semaine qui a précédé la naissance de Bella, dans une forme éblouissante. Alors, essaie de ne pas t'envoler trop loin d'ici la semaine prochaine : je risquerais d'avoir besoin de toi.

— Je ne quitterai pas Windaroo, promit-il. D'ailleurs, mon équipe est parfaitement organisée : ils peuvent me relayer sur n'importe quel vol.

— Parfait, approuva Rachel. Je n'ai pas l'intention d'accoucher sans toi.

— Essaye un peu, pour voir, dit-il en lui piquant un petit baiser sur le nez.

Il y eut un bruit de moteur dans la cour et leur baiser fut interrompu par l'arrivée dans la cuisine d'une sorte de tornade.

— Que se passe-t-il ? s'enquit Gabe.

— C'est grand-père et grand-mère qui arrivent ! s'exclama Bella, sa fille de quatre ans, qui venait d'entrer en coup de vent, en compagnie d'un groupe de jeunes chiens qui menait grand tapage.

Vêtue d'un jean et d'un T-shirt d'un rose éclatant, elle se tenait dans l'encadrement de la porte, le fixant de son regard vert sous son épaisse frange de cheveux blonds, tandis qu'autour d'elle trois chiots aboyaient en bondissant.

— Fais-les sortir immédiatement ! Bella.

— Mais je ne peux pas. Grand-père et grand-mère sont là avec oncle Jonno. Et ils *mourent* d'envie de me voir…

— Eh bien, ils attendront quand même un peu, dit Gabe après avoir fermement expulsé les trois chiots. Je croyais t'avoir expliqué que tu n'avais pas à les faire entrer dans la maison. Ils n'étaient pas dans ta chambre, par hasard ?

— C'est qu'ils s'ennuyaient tellement tout seuls…

— Je t'ai déjà dit que ce sont des chiens de berger. Il faut qu'ils apprennent à rassembler le bétail. Tu ne veux pas les en empêcher, si ?

— Mais, papa, dit-elle en le fixant, les mains sur les hanches, on est dimanche. Ils ont droit à leur jour de repos, eux aussi !

Gabe faillit éclater de rire. Il se pencha pour essayer d'échapper au regard scrutateur de sa fille, mais en vain. Son regard croisa celui de l'enfant et il dut s'avouer vaincu. A part pour ses yeux verts qu'elle tenait de lui, elle était tout le portrait de sa mère, dont elle avait aussi l'esprit et la détermination. Comme toujours, Gabe se sentit fondre.

— Dans ce cas, disons qu'ils ont l'autorisation d'entrer le dimanche. Mais seulement jusqu'à ce qu'ils commencent à travailler pour de bon !

Avec un grand sourire, elle se jeta dans ses bras avant de filer dans la cour pour accueillir les arrivants.

— Elle te mène par le bout du nez, constata Rachel en riant.

— Elle a de qui tenir, répondit-il en soupirant avant de la reprendre dans ses bras pour achever avant l'arrivée de la famille leur baiser interrompu.

Le nouveau visage
de la collection Or

◆

AMOURS D'AUJOURD'HUI

Afin de mieux exprimer sa modernité et de vous séduire encore davantage, votre collection Or a changé de couverture et de nom depuis le 1er mars 1995.

Rassurez-vous, les romans, eux, ne changent pas, et vous pourrez retrouver dans la collection **Amours d'Aujourd'hui** tous vos auteurs préférés.

Comme chaque mois, en effet, vous y attendent des héros d'aujourd'hui, aux prises avec des passions fortes et des situations difficiles...

**COLLECTION
AMOURS D'AUJOURD'HUI :**
Quand l'amour guérit des blessures de la vie...

Chère lectrice,

Vous nous êtes fidèle depuis longtemps?
Vous venez de faire notre connaissance?

C'est pour votre plaisir que nous avons
imaginé un rendez-vous chaque mois
avec vos auteurs préférés, vos
AUTEURS VEDETTE dans les
collections Azur et Horizon.

Les **AUTEURS VEDETTE** vous
donneront rendez-vous pour de
nouveaux livres vedette.

Pour les reconnaître, cherchez
l'étoile… Elle vous guidera!

Éditions Harlequin

HARLEQUIN

LE FORUM DES LECTEURS ET LECTRICES

CHERS(ES) LECTEURS ET LECTRICES,

VOUS NOUS ETES FIDÈLES DEPUIS LONGTEMPS?

VOUS VENEZ DE FAIRE NOTRE CONNAISSANCE?

SI VOUS AVEZ DES COMMENTAIRES, DES CRITIQUES À
FORMULER, DES SUGGESTIONS À OFFRIR, N'HÉSITEZ
PAS... ÉCRIVEZ-NOUS À:

> LES ENTERPRISES HARLEQUIN LTÉE.
> 498 RUE ODILE
> FABREVILLE, LAVAL, QUÉBEC.
> H7R 5X1

C'EST AVEC VOS PRÉCIEUX COMMENTAIRES QUE NOUS
ALLONS POUVOIR MIEUX VOUS SERVIR.

DE PLUS, SI VOUS DÉSIREZ RECEVOIR UNE OU
PLUSIEURS DE VOS SÉRIES HARLEQUIN PRÉFÉRÉE(S)
À VOTRE DOMICILE, NE TARDEZ PAS À CONTACTER LE
SERVICE D'ABONNEMENT; EN APPELANT AU
(514) 875-4444 (RÉGION DE MONTRÉAL) OU 1-800-667-4444
(EXTÉRIEUR DE MONTRÉAL) OU TÉLÉCOPIEUR
(514) 523-4444 OU COURRIER ELECTRONIQUE:
AQCOURRIER@ABONNEMENT.QC.CA OU EN ÉCRIVANT À:

> ABONNEMENT QUÉBEC
> 525 RUE LOUIS-PASTEUR
> BOUCHERVILLE, QUÉBEC
> J4B 8E7

MERCI, À L'AVANCE, DE VOTRE COOPÉRATION.

BONNE LECTURE.

HARLEQUIN.

VOTRE PASSEPORT POUR LE MONDE DE L'AMOUR.

<u>COLLECTION HORIZON</u>

Des histoires d'amour romantiques qui vous mènent au bout du monde!

Découvrez la passion et les vives émotions qu'apportent à la Collection Horizon des auteurs de renommée internationale!

Captivantes, voire irrésistibles, ces histoires d'amour vous iront assurément droit au coeur.

Surveillez nos trois nouveaux titres chaque mois!

GEN-H-R

L'ASTROLOGIE EN DIRECT
TOUT AU LONG
DE L'ANNÉE.

(France métropolitaine uniquement)
Par téléphone 08.92.68.41.01
0,34 € la minute (Serveur SCESI).

Composé et édité
PAR LES ÉDITIONS HARLEQUIN
Achevé d'imprimer en avril 2004

BUSSIÈRE
GROUPE CPI

à Saint-Amand-Montrond (Cher)
Dépôt légal : mai 2004
N° d'imprimeur : 41472 — N° d'éditeur : 10505

Imprimé en France